漫画人物素描
从入门到精通

C·C 动漫社　著

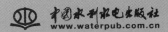
中国水利水电出版社
www.waterpub.com.cn

图书在版编目（ＣＩＰ）数据

漫画人物素描从入门到精通 ／ Ｃ·Ｃ动漫社著. -- 北
京 : 中国水利水电出版社，2011.8
ISBN 978-7-5084-8803-5

Ⅰ．①漫… Ⅱ．①Ｃ… Ⅲ．①漫画：人物画－素描技
法 Ⅳ．①J218.2②J214

中国版本图书馆CIP数据核字(2011)第131828号

书　　　名：	漫画人物素描从入门到精通
作　　　者：	C·C动漫社　著

出版发行：	中国水利水电出版社（北京市海淀区玉渊潭南路1号D座　100038）
	网址：www.waterpub.com.cn
	E-mail:sales@waterpub.com.cn
	电话：（010）68367658（营销中心）
企　　划：	北京亿卷征图文化传媒有限公司
	电话：（010）82960410、82960409
	E-mail:sales_bookexplorer@163.com
经　　售：	全国各地新华书店和相关出版物销售网点

印　　刷：	北京机工印刷厂
规　　格：	187mm x 260mm　16开本　18.5印张　170千字
版　　次：	2011年8月第1版　2012年11月第2次印刷
定　　价：	45.00元

　　绘制一部漫画需要设计许多的元素，角色就是其中很重要的部分。任何故事情节的铺陈与发展都离不开角色。一本漫画中肯定会出现各种各样、形形色色的角色，就算是只有四页的超级短篇漫画，也会有主角、次主角、配角和群众演员这些最基础的角色人物配置。而根据配置的不同，对漫画人物的设计也大不一样。

　　人物的设计并不是凭空而来的，而是与漫画故事息息相关的。漫画角色一定要根据故事情节的需求被赋予某种特定的身份和信息，像是年龄、性格、背景、职业等。例如一本关于美食题材的故事漫画，其主角必须与美食有着密切的关系，他的身份、职业、背景的设定都要与"美食"这个主题相关，因此我们可以将其设计为大厨、美食家或是烹饪爱好者等。并且为了引出情节，还要相应设计出次主角、配角，以及其他的群众演员。由这些不同层次的角色共同演绎，整个故事才会显得真实、丰富，让读者产生共鸣。而根据被赋予信息的不同，漫画角色的外形塑造也会呈现出不同的特征，表现出不同的个性魅力。

　　本书将从漫画角色造型入手，先向大家介绍如何通过不同的五官、表情与体格来塑造角色外形，以此增加各个角色的魅力；然后讲解角色人物的区分与配置，怎样配合故事来设定角色的身份背景，并将自己的构想绘制出来。

　　希望本书可以为大家设计与绘制漫画角色提供参考，帮助大家创作出生动形象、有趣的漫画作品。

编者

目录 Contents

Preface 序章　漫画中没有角色就像空的舞台

漫画书就如同一个舞台，角色在舞台上演绎各个不同的故事。如果舞台上没有演员会怎么样呢？让我们来看看下面两张图。

图A

图A中的场景只有餐桌。从画面上来看就像是一张景物写生的画稿，没有任何剧情或者表现力。

图B加入人物与道具之后能够表现出准备用餐的画面。人物角色的加入能够立刻使画面表现出故事性。

图B

让人难忘的总是那一张张生动的脸

角色的面部设定决定着读者对人物形象的记忆。一张生动的脸能够给人留下深刻印象，而美丽的外貌更容易引起注意。

美丽的外貌容易引起注意

基本型

改变五官大小·和位置

改变发型修饰容貌

化妆效果修饰容貌

多变的表情更容易引起注意

　　永远不变的标准可爱笑脸，可以在第一时间吸引住读者的眼球。但是这种一成不变的表情久而久之就会让人感觉乏味。赋予角色生动的表情可以解决这个难题。

角色的表情可不仅仅是微笑哦。

快乐地大笑

有点不满地撅嘴

委屈得泪流满面

被惊吓到而慌张

不认同地皱眉

愤怒地开口反击

独特的造型是角色的杀手锏

要让读者记住一个角色，在造型上一定要表现出与众不同的感觉，利用发型、服装、道具来丰富人物的造型感，绘制的前期也需要对素材进行收集和整理。

造型离不开素材收集

我们总是需要根据故事的设定来设计与之相匹配的角色形象。这就需要我们博览群书，去寻找与故事相关的资料。比如我们想设计一个印第安的角色形象，就要了解印第安的历史、地域、人民的服饰打扮、生活习惯、风俗禁忌等。越是详细就越能将人物整体造型设计得完美。

印第安的第一特征就是羽毛头饰，据说是用老鹰的羽毛做的。

契合历史的印第安服饰。

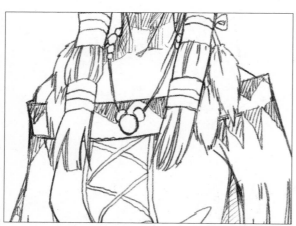

发型上的特点是会梳成两条发辫。服饰上有很多折形纹，这是印第安服饰的一大特点。

造型需要丰富的想象力

对于已有的东西的完全复制，不是我们所乐见的。漫画角色之所以有生命力，除了有丰富的历史资料做依靠以外，还有漫画家们标新立异的创造力。例如在绘制印第安角色形象时，我们可以将完全贴近史实的东西作为参照物，加入现代元素，让历史和现代来一个大融合。

收紧胸部的衣服线条，变成紧身的流苏裹胸。

围布设计成三角式，更体现出曼妙的身姿。

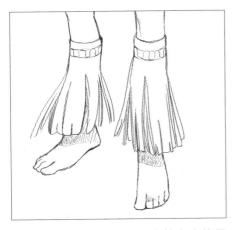

加入流苏腿饰表现出印第安人的另一个风俗——土风舞。

结合现代元素修改后的角色造型。

Preface 序章 每个角色都有标志性动作

角色的设定不仅仅局限在外貌，要表现人物的特点需要设计角色独有的招牌动作，让读者一看到就会想起这个角色来。动作的关键是由关节运动而来的。

绘制动作的关键点

颈椎
肩关节
肘关节
腰椎
腕关节
髋关节
膝关节
踝关节

人物关节指示图

首先确定人物运动时的身体结构，方便在结构轮廓上添加出人物的面部和服饰。

越是靠近关节的地方，服饰的褶皱越密集和明显。

肢体运动都是由身体各关节与肌肉配合完成的，在运动时会产生肌肉的伸缩，也就会改变人物的轮廓。

绘制具有动感的动作

1 绘制出人物的头部和身体动作的趋向线。

2 添加出表现人物动态的骨架，绘制出人物的身体轮廓，身体的剖面类似圆柱形。

3 绘制出人物面部和服饰的轮廓，头发因为运动而扬起来，裙子线条拉紧。

4 绘制出服饰的装饰细节，画出领口的花边，勾出头发的细节。

Preface
序章
得到更有冲击性的造型效果

光是将古代元素与现代元素相结合所表现出来的造型效果也未必是作者觉得满意的作品，作者往往会将古代元素和现代元素充分结合后再经过自己主观的想象后才能最终确定角色的造型。

夸张角色头部的造型，使角色在具有民族风味的同时，更容易吸引读者的眼球。

设计一个有民族风味的披风，再以特殊的方法围绕在角色身上，增加角色的飘逸感。

进行再创作后的角色造型

特殊的脚部装饰，是古代原始加现代元素后，再经过作者演绎的结果。

第1章

每部漫画都由很多角色组成，通过角色的设定和互动来完善整个故事剧情。角色的设定需要把握要点，不管是外形还是人物背景都很重要，下面来了解漫画角色的设定。

认识漫画角色

认识角色

角色，指演员扮演的剧中人物，也可指生活中某种类型的人物和戏曲演员专业分工的类别。漫画可以被看做是一个二维的虚拟小社会。真实世界中的一切都可以折射到漫画中。所以漫画中充斥着各行各业、形形色色的角色。

将角色实体化

构思人物的身高、身材、样貌等信息，为人物做人生规划，也就是身份、职业等。

这里准备的是芭蕾舞演员的服饰。

芭蕾舞演员的表现

认识那些漫画中的名角色

《EVA》中的明日香

动画中的第二适任者，也是二号机的驾驶员。她同时拥有德国与日本的血统，虽然她是在德国长大的，不过她是美国公民。明日香性格泼辣中又带有脆弱，偶尔自私。

《银魂》中的神乐

穿着红色中国样式旗袍的可爱LOLI。胃口相当厉害，最喜欢的食物是醋海带，喜欢红豆饭，宠物是定春，还有说话时有中国口音。

《灌篮高手》中的三井寿

湘北篮球队的得分后卫，拿手绝技是三分球，并且具有极强的求胜欲望。三井寿曾腿伤复发，告别了心爱的篮球，并开始与社会不良青年为伍。后来，在朋友们和安西教练的帮助下重返球队，并成为球队中的主力选手。

Lesson 02 塑造角色的三大要素

塑造角色的时候要把握住三大要点：作者的主观意愿，即对想要表达的内容的思考，然后再考虑故事人物的整个背景和时代，最后根据时下的流行特点做出相应的修改。

作者的主观想法

作者是漫画的创造者，就如同漫画的灵魂一样。如果作者没有想法，要塑造角色就只能去复制别人的成果。那么这部漫画在起跑线上就已经失败了。试问一个连角色造型都要复制的作者又怎么能创作出优秀的作品呢？

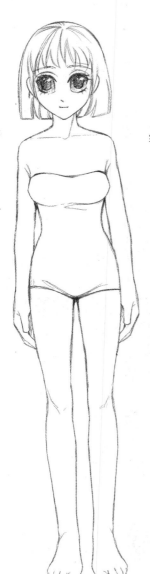

大眼睛，四肢纤细的可爱萝莉。

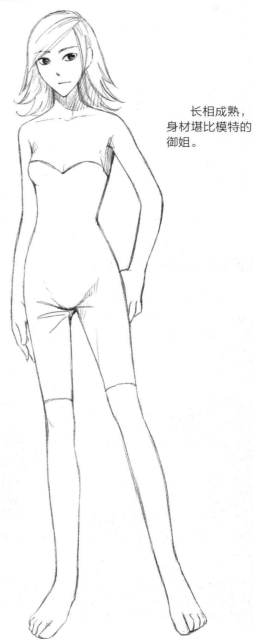

长相成熟，身材堪比模特的御姐。

作为漫画的创造者，如果对漫画角色的造型不满意就会失去对这个漫画故事的热情。就算勉强完成了漫画也很难跻身于经典漫画之列。

漫画描述的地域和时代

　　要是打算画一部历史题材的漫画，尤其是正剧，设计角色造型就必须要有那个时代和地域的特征。如果随意的处理就会被读者发现纰漏并被毫不留情的指责。例如明朝造型的角色出演汉朝的故事，这种穿越闹剧会被大大耻笑，读者的眼睛可是雪亮的哦！

　　中国古代的女性服饰要画好可不容易，要通过各种途径去寻找资料，想当然的随便绘制，不是专业漫画家的态度。

　　就算是画现代人物造型也不是随随便便就能画出来的。多观察、多收集资料是每个漫画家的基本工作之一。

时下的流行趋势

漫画也有流行元素，尤其是生活类漫画，不单单跟随流行，更加会引领流行趋势。如果自己还难以引领流行趋势，至少也不要被流行甩得太远。

当市场上流行魔幻题材的漫画时，可以将这种元素添加到自己设计的角色身上。

将不同风格的漫画组合一下，比如用插画的风格和漫画的画法组合而成的角色总是有种与众不同的感觉。

1
Chapter
认识漫画角色

2
Chapter
过目不忘的脸

3
Chapter
刻画生动的头部

4
Chapter
绘制出众的体格

动手绘制一个可爱的漫画角色

大家一定很好奇,可爱的漫画角色到底是怎么样被设计和绘制出来的呢?漫画角色的绘制有一定的规律,只要按照这种规律来画的话就能画出自己满意的角色。

欲善其事先利其器

在绘制漫画角色前先来看一下所需要的工具有哪些。

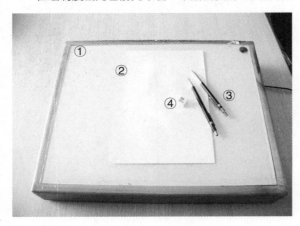

①拷贝台:画漫画的常用工具,用于将凌乱的原画清晰的誊到另一张空白纸上。

②纸:设计原稿时对纸的要求不高,只要是干净、不容易挂笔起毛就可以了。

③铅笔:根据画者的习惯选择自己喜欢的就好,2B的自动铅笔和专业绘图铅笔均可。

④橡皮:橡皮要选用柔软的才不容易将纸擦出毛刺。不过,如果画熟悉后就不太会用到橡皮了。

角色的绘制流程

1 绘制出人物的头部,确定头身单位的长度。

2 绘制出人物的整体高度,用脊柱中心线表示。

3 描绘出人物头部的结构,开始绘制身体的轮廓,不熟悉的时候可以标示出身体的关节以方便绘制。

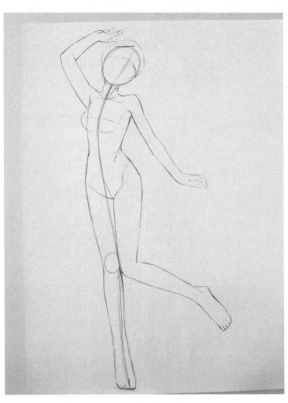

5 绘制出人物的五官轮廓，加上适量的阴影。

4 绘制出人物整体的动态轮廓，左侧腰部呈压缩状。

6 根据整体的形体构思要绘制的服饰，可以从头的饰品开始绘制。

7 绘制出服饰的轮廓，带有希腊风的裙子注意胸部的曲线表达。

8 绘制出整体的服饰草稿，这时的画面很乱，会有点脏脏的。

9 在草稿上重叠一张画纸，拷贝台的光能够将线条显得很清楚。

10 重叠好位置之后，开始从头部勾出主要的线条，绘制出五官的细节。

11 绘制头发的轮廓和羽毛头饰的细节。

12 绘制出脖子上佩戴的项链，下笔要流畅，绘制出精细的环形。

13 勾出胸口的服饰和褶皱之后，绘制腰间的带状装饰，花纹比较细密，要避免弄花。

14 绘制出装饰的腰链，描画出金属的篆刻纹理。

15 绘制出腿部的装饰，画出阴影来表示出金属质感和立体感。

16 用斜排线绘制出整体的阴影，表现出明暗关系，角色的线稿完成。

1
Chapter
认识漫画角色

2
Chapter
过目不忘的脸

3
Chapter
刻画生动的头部

4
Chapter
绘制出众的体格

完成效果

精致的面部能够给人深刻的第一印象。绘制面部需要把握好五官的比例以及五官的绘制特点，再做出调整来绘制出自己想要的面部。本章介绍面部的绘制技巧以及各种角色的面部的特点。

过目不忘的脸

Lesson 01 脸部的比例

在绘制人物的脸部之前，要先了解人物脸部的比例，这样才能把握五官在脸部的正确位置，绘制出好看的角色。在绘制写实人物的时候一般会用到"三庭五眼"的方法，三庭是从发际线到眉毛的最上端、眉毛到鼻底、鼻底再到下巴的三等分线，五眼就是正面人物一侧耳朵到另一侧耳朵大概有5个眼睛的距离。而运用到绘制漫画人物时就要根据作者的画风和喜好适当调整比例。

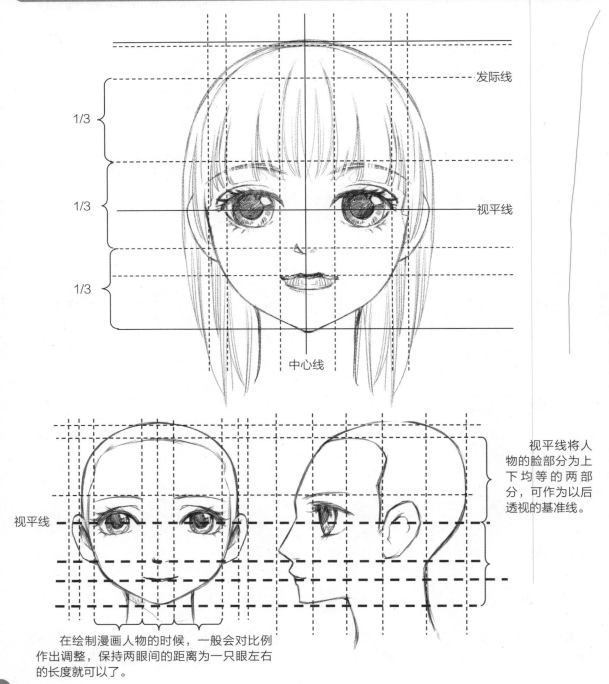

发际线

1/3

视平线

1/3

1/3

中心线

视平线

视平线将人物的脸部分为上下均等的两部分，可作为以后透视的基准线。

在绘制漫画人物的时候，一般会对比例作出调整，保持两眼间的距离为一只眼左右的长度就可以了。

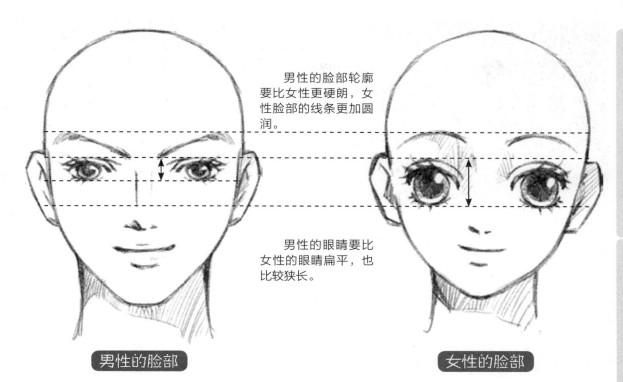

男性的脸部轮廓要比女性更硬朗，女性脸部的线条更加圆润。

男性的眼睛要比女性的眼睛扁平，也比较狭长。

男性的脸部

女性的脸部

稍微改变五官的位置，人的容貌就会发生变化。

人物原型

降低眉毛的高度能够使人物看起来温和。

眼距稍稍变小，人物会显得比较有精神。

眼距太大会使人看起来有些奇怪。

眼睛的位置降低，人物的五官会显得很挤。

嘴巴的位置太贴近鼻子，会有不协调的感觉。

Lesson 02 脸型

首先来学习不同脸型的绘制。每一种脸型都会使角色的外形有不同的感觉，而脸型的绘制中也有不同的角度和透视，接下来就来看看脸型的绘制。

椭圆形 椭圆形的脸是漫画中较常见的脸型，又可以叫做鹅蛋脸，能衬托出人物温和自然的性格。

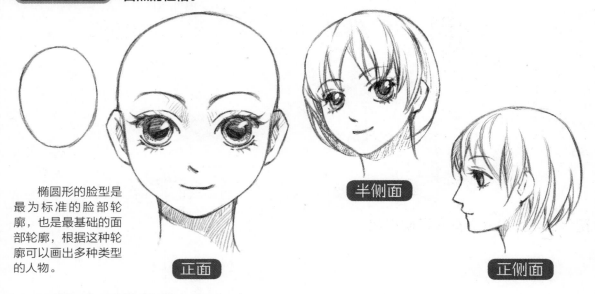

椭圆形的脸型是最为标准的脸部轮廓，也是最基础的面部轮廓，根据这种轮廓可以画出多种类型的人物。

正面

半侧面

正侧面

用椭圆形来表现角色面部形状

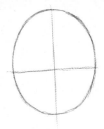

1 绘制出椭圆轮廓和十字基准线。

2 根据十字基准线的中心延长线添加出人物下巴轮廓。

3 用辅助线表示出五官的位置。

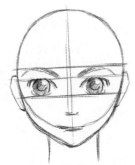

4 绘制出人物的五官，注意耳朵的正确位置。

5 先给人物画上头发的基本轮廓，再细化发丝并画出阴影。

完成图

倒三角形

倒三角形的脸形也是常用的脸型之一，又叫做瓜子脸，多用于表现比较成熟的角色。

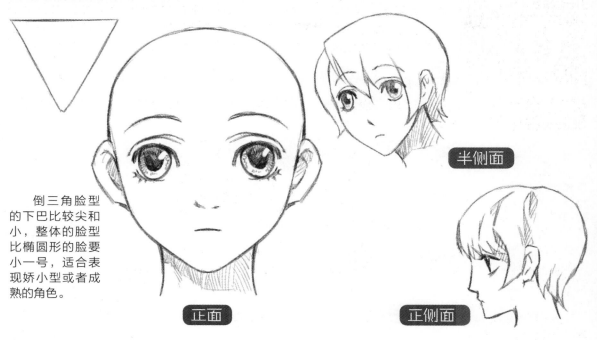

倒三角脸型的下巴比较尖和小，整体的脸型比椭圆形的脸要小一号，适合表现娇小型或者成熟的角色。

正面

半侧面

正侧面

用倒三角形来表现角色面部形状

1 绘制出圆形轮廓和十字基准线。

2 根据十字基准线的中心延长线添加出人物尖尖的下巴轮廓。

3 用辅助线表示出五官的位置。

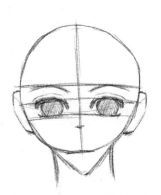

4 绘制出人物眼睛的基本形，画出耳朵。

5 绘制人物头发的基本轮廓，再细化发丝并画出阴影。

完成图

方形

方形脸一般会用于表现写实类型或者体格比较强壮的男性角色，或者是比较硬朗的女模特造型。

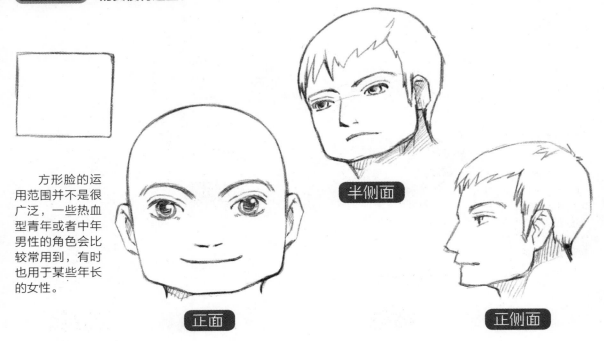

方形脸的运用范围并不是很广泛，一些热血型青年或者中年男性的角色会比较常用到，有时也用于某些年长的女性。

正面

半侧面

正侧面

用方形来表现角色面部形状

1 绘制出圆形轮廓和十字基准线。

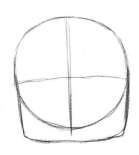

2 根据十字基准线的中心延长线添加出人物方形下巴的轮廓。

3 用辅助线表示出五官的位置。

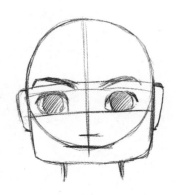

4 绘制出人物五官的基本形状，注意耳朵的正确位置。

5 绘制出人物的头发，细化五官并加上阴影。

完成图

三角形

三角形是漫画中比较特殊的脸型，在众多有着椭圆形和倒三角形脸的角色的围绕下，三角形脸显得非常突出。

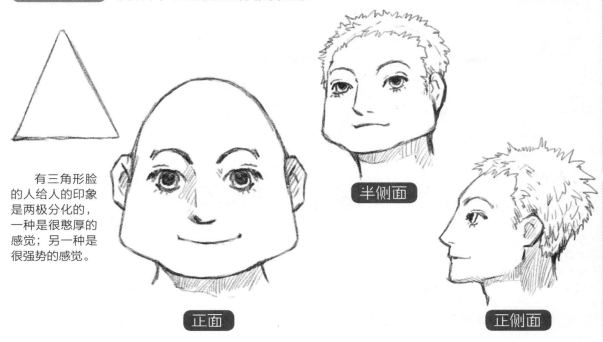

有三角形脸的人给人的印象是两极分化的，一种是很憨厚的感觉；另一种是很强势的感觉。

半侧面

正面

正侧面

用三角形来表现角色面部形状

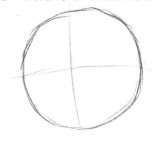

1 绘制出圆形轮廓和十字基准线。

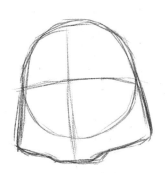

2 根据十字基准线的中心延长线添加出人物方形下巴的轮廓。

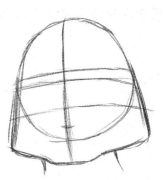

3 用辅助线表示出五官的位置。

4 绘制出人物的五官，眼睛先轻轻用排线打底。

5 给人物画上头发的基本轮廓，绘制出瞳仁的细节，再绘制出耳环。

完成图

眉眼是角色心灵的窗户

一双充满神韵的眼睛，能够为角色增添独特的魅力。首先，要了解眼睛的结构与基本绘制方法。

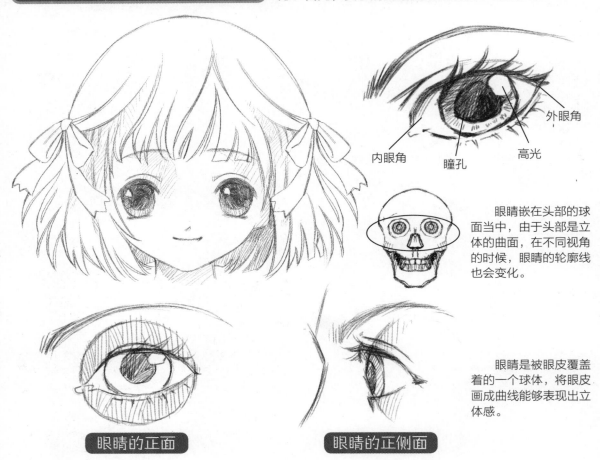

内眼角　瞳孔　高光　外眼角

眼睛嵌在头部的球面当中，由于头部是立体的曲面，在不同视角的时候，眼睛的轮廓线也会变化。

眼睛是被眼皮覆盖着的一个球体，将眼皮画成曲线能够表现出立体感。

眼睛的正面　　眼睛的正侧面

瞳孔的色调表现

绘制的色调加深，能够表现深色的瞳仁，比如黑色、深棕色等，也可以表现在暗处时的眼睛色调。

绘制的色调适中，能够表现茶色、浅棕色或者蓝色等的瞳仁，也能够表现在光线柔和时的眼睛色调。

绘制的色调减弱，能够表现浅色的瞳仁，比如浅蓝色、偏黄色等，也能够表现光线充裕时的眼睛色调。

眼睛的绘制流程

1 绘制出眉毛的基本线和眼睛的基本形。

2 勾勒出眉形以及眼睛的大致轮廓，慢慢画出瞳仁形状。

3 勾出双眼皮线，绘制出瞳孔和高光。

4 加深瞳孔的颜色，绘制出眼睑上的睫毛。

5 绘制出眼皮在瞳仁上的阴影，细化眼睛的眼线和睫毛。

完成图

多种类型的眼睛

俏丽型的眼睛　　成熟型的眼睛　　妩媚型的眼睛　　精致型的眼睛

温柔型的眼睛　　严肃型的眼睛　　苍老型的眼睛　　迷离型的眼睛

死鱼眼型的眼睛　　诙谐型的眼睛　　腹黑型的眼睛　　大眼娃娃型的眼睛

眼睛的角度

正面时的眼睛

人物在正面的时候，以中心线为基准的左右两边的眼睛都是相对应的，相互对称的。

写实眼睛的正面

漫画眼睛的正面

半侧面时的眼睛

人物在半侧面时，如上图中侧向右方，我们所看到的右眼就会显得比左眼小，这是由于侧脸时产生近大远小的透视。

写实眼睛的半侧面

漫画眼睛的半侧面

正侧面时的眼睛

人物在正侧面时，眼睛的眼角看起来是下垂的，瞳仁也由圆形变成比较扁的椭圆形。

写实眼睛的正侧面

漫画眼睛的正侧面

眼睛的透视

写实眼睛的仰视

漫画眼睛的仰视

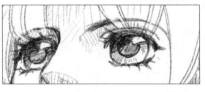

在仰视的时候，眼睛的眼角下垂，眼睛呈倒挂型或者说上下眼睑的线条呈弓形。

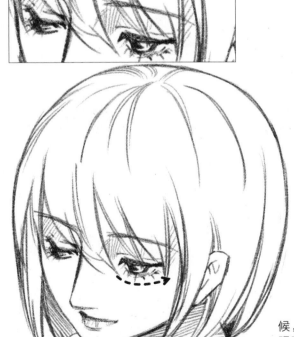

写实眼睛的俯视

漫画眼睛的俯视

在俯视的时候，外眼角上扬，眼睛会呈吊梢型，上眼皮的弧度是平缓的横着的S形。

鼻子使面容显得立体

鼻子是脸部中央突起的部分，好看的鼻子能够让面部加分，使面容变得更有立体感。

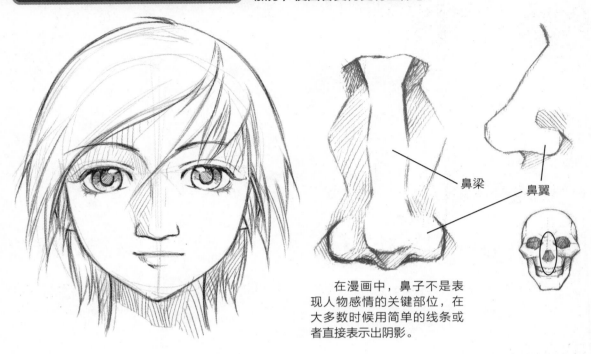

鼻梁

鼻翼

在漫画中，鼻子不是表现人物感情的关键部位，在大多数时候用简单的线条或者直接表示出阴影。

鼻子的绘制流程

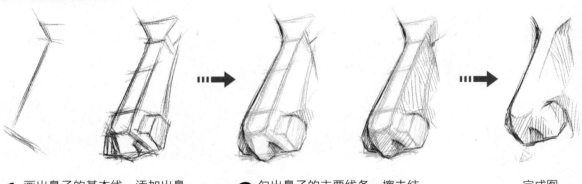

1 画出鼻子的基本线，添加出鼻梁和鼻翼的立体结构线。

2 勾出鼻子的主要线条，擦去结构线，添加出阴影。

完成图

多种类型的鼻子

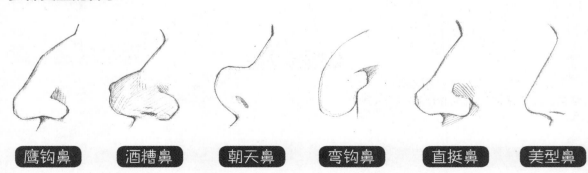

鹰钩鼻　　酒糟鼻　　朝天鼻　　弯钩鼻　　直挺鼻　　美型鼻

鼻子的角度

正面时的鼻子，可以只画出鼻头或者鼻孔。

半侧面时的鼻子，可以画出鼻梁、鼻头和鼻孔，表现的结构较完整。

侧面时的鼻子，要绘制出鼻梁和鼻头来表现侧面轮廓。

鼻子的透视

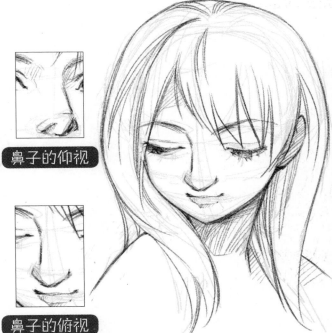

鼻子的仰视

鼻子的俯视

仰视的时候，能够清楚的看到鼻孔的结构，在表现的时候要画出鼻梁线和鼻孔。

俯视的时候，看到鼻头的结构更多，可以直接画出鼻头来表现。

耳朵也可以有很多形态

每个人的耳朵看起来好像都一样，事实上却有着一定的差异，轮廓有大有小，耳垂有厚有薄，形态各异。

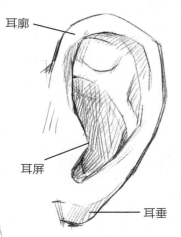

耳廓

耳屏

耳垂

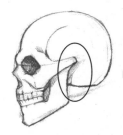

耳朵顶部的位置和上眼睑的位置几乎在一条直线上。

半侧面时的耳朵看起来是最完整的，比正面时的耳朵要宽一倍。

正侧面时的耳朵轮廓比半侧面时窄一些。

背半侧面时的耳朵，看不到耳廓内的结构，只能看到耳廓和耳垂。

耳朵的绘制流程

1 画出耳朵的基本形。

2 绘制出耳朵的主要结构线。

3 绘制出耳朵的主要线条，擦去结构线后绘制出阴影。

完成图

多种类型的耳朵

薄型耳朵

可爱型耳朵

小·精灵耳朵

下垂的兽耳

嘴的变化使面部表情更为丰富

把握嘴巴的恰当表现能够让人物的表情更加丰富，一般漫画中嘴巴的画法是用简单的线条表现，也有比较写实地画出唇齿的表现方法。

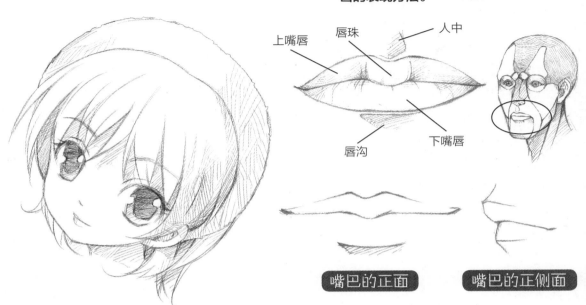

上嘴唇　唇珠　人中

唇沟　下嘴唇

嘴巴的正面

嘴巴的正侧面

嘴唇的绘制流程

1 先绘制出表现嘴唇的唇线。

2 画出上下嘴唇的轮廓，表现出唇珠。

3 勾勒出嘴唇的主要线条，表现出光泽。

多种类型的嘴唇

厚香肠嘴

性感嘴唇

樱桃小嘴

漫画型嘴

夸张型嘴

嘴部的多种变化

紧闭的嘴

大笑时的嘴

生气时的嘴

张开的嘴

嘴唇的角度

　　绘制正面的嘴唇时，可以通过表现唇沟来体现嘴唇的厚度。但是，在绘制漫画嘴唇的时候，一般就是用线条表现。

写实嘴唇的正面

漫画嘴唇的正面

　　绘制半侧面的嘴唇时，可以画出下唇线来表现嘴唇的厚度和轮廓。

写实嘴唇的半侧面

漫画嘴唇的半侧面

　　绘制侧面的嘴唇时，只要表现出唇部的侧面厚度轮廓。

写实嘴唇的正侧面

漫画嘴唇的正侧面

嘴唇的透视

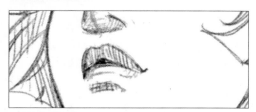

嘴唇的仰视

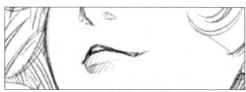

　　嘴唇在仰视角度的时候，看到的上唇结构和唇沟比较多，上唇会显得比较厚实。

嘴唇的俯视

　　嘴唇在俯视角度的时候，下唇的结构和人中比较明显，这时的下唇显得比较厚实。

头部也有很多1/2比例，在水平状态下，人物的头部有正面角度、正侧面角度和半侧面角度三大类变化，下面分别来看看头部角度变化。

正面

1 绘制出圆形轮廓和十字基准线。

2 根据十字基准线添加出人物的脸部轮廓，注意中心线的左右是对称的。

3 用辅助线表示出五官所在的位置。

4 绘制出人物五官的基本形，眼睛先轻轻用排线打底。

5 绘制人物束发的基本轮廓，画出头发的厚度线。

6 添加出头发的刘海，描绘五官的细节，画出瞳仁高光。

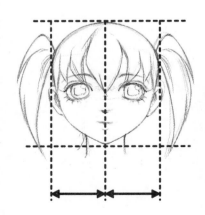

人物正面的角度时，以鼻梁延长线为中心线，此时的中心线正好在脸部的中央，左右两边脸各为1/2。

完成图

正侧面

1 绘制出圆形轮廓和十字基准线。

2 根据十字基准线添加出人物的侧面轮廓。

3 添加出侧面的鼻子和嘴唇的轮廓，画出耳朵并表示出眼睛的位置。

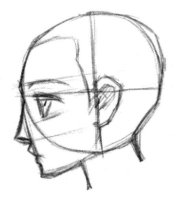

4 绘制出人物眼睛的基本形，画出发际线。

5 画出人物束发的轮廓，注意被头部遮挡的头发的添加。

6 添加出头发的刘海，描绘五官的细节，画出瞳仁高光。

人物正侧面的角度时，中心线完全移到一侧，一般情况下耳孔的纵向延长线正好将脸部和后脑勺分为各1/2。

完成图

半侧面

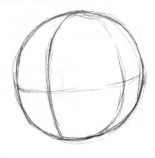

1 绘制出半侧面的球形轮廓和十字基准线。

2 根据十字基准线添加出人物的脸部轮廓。

3 用辅助线表示出五官的位置，画出耳朵的轮廓。

4 绘制出人物的五官，眼睛先轻轻用排线打底，描绘出眼线。

5 画出人物的束发，表示出发际线。

6 添加出头发的刘海，描绘五官的细节，画出瞳仁高光。

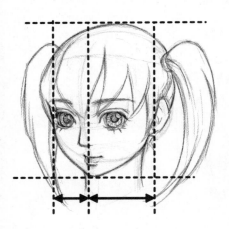

人物半侧面的角度时，中心线会做左右平移的运动，例如人物往右转，中心线右移，人物的右脸就会被遮挡住一部分，左脸看到的部分就比较多。

完成图

Lesson 05 透视状态下的头部角度的变化

在绘制漫画人物的时候，同样需要掌握透视的变化。我们的头部能做很多扭转的动作，所以，在不同的透视下还会有不同的角度变化，下面就举例来讲解。

平视

一般情况下，平视的时候人物的视线位置在脸部的正中，正好将脸部平均分为上下两部分。

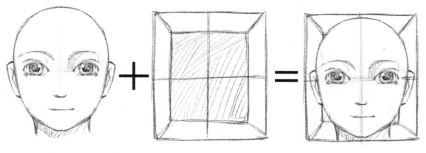

人物的头部是立体的，将人物放进立方体里来绘制，在表现其他视角时就更好理解了。

人物的头部和立方体一样在透视环境下具有空间感，在绘制人物头部的时候就要将头部放在三维空间中去考虑头部的正面和侧面的变化。可以将头简化成一个立方体来考虑空间感的处理方式。

平视示意图

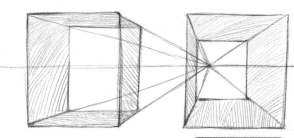

平视正面的时候，视线正好将头部分为上下均等的两部分，中心线则将头部分为左右均等的两部分，掌握这个比例就能够绘制出平视的正面。

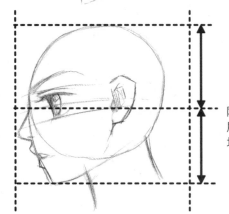

平视正侧面的时候，中心线刚好完全平移到一侧，侧脸完全展现，视线还是将头部分为上下均等的两部分。

俯视

俯视的时候，视线往下移动。在用立方体表现人物的时候，能够看见人物的头顶，鼻梁结构很明显。

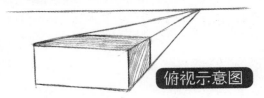

俯视状态下的人物头部如左图所示。整个立方体都在水平线以下，使得平时状态看不到的立方体的顶部完全暴露。

俯视示意图

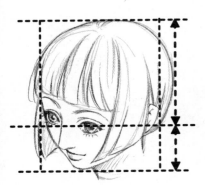

俯视状态下的人物头部可以看见头顶部分，眼睛的位置也从平视状态下的头部上下1/2处移到了1/2以下。

俯视状态下的真实人物头部

俯视状态下的漫画人物头部

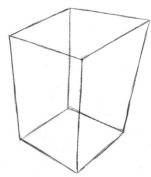

1 绘制出俯视下的立方体。

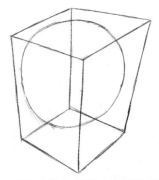

2 在立方体中画出人物的头部轮廓。

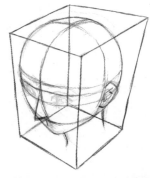

3 绘制出人物面部的十字基准线，描绘出五官的基本形。

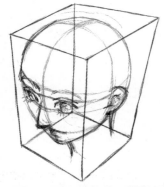

4 绘制出五官的细节，描出五官的主要线条。

5 绘制出人物的头发从头部的发旋开始画。

6 勾出主要的线条，擦去结构线。

仰视

仰视的时候，视线往上移动。在用立方体表现人物的时候，能够看见人物的鼻底结构、比较完整的上唇和下巴结构。

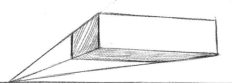

仰视示意图

如左图所示，平视状态下看不见的底部在仰视状态下显露了出来。

仰视状态下，由于视点在人物头部下方，所以平视状态下看不见的下颚下方和鼻底等部位显现了出来。原本在头部上下1/2处的眼睛也上移到了1/2以上了。

仰视状态下的
真实人物头部

仰视状态下的
漫画人物头部

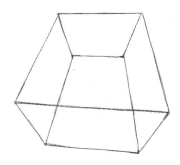

1 绘制出仰视下的立方体。

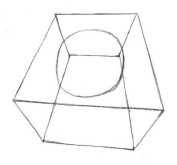

2 在立方体中画出人物的头部轮廓。

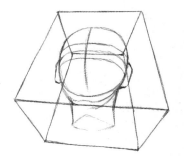

3 绘制出人物面部的十字基准线，描绘出五官的基本形。

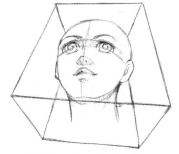

4 绘制出五官的细节，在仰视的时候，能够看到鼻底和完整的上唇，描出五官的主要线条。

5 绘制出人物的头发，勾出五官的主要线条，擦去结构线。

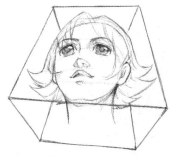

6 细化眼睛的瞳仁，加强人物面部的线条。

Lesson 06 通过脸型和五官的组合创造角色

在做角色设定的时候，可以通过对脸型和五官的组合来创造出很多不同的角色，每一个角色都会表现出不同的性格特征。下面就来讲讲如何组合出不同角色的面部造型。

组合出美丽的容颜

美丽的容颜是美型角色必备的条件之一，要组合出美丽的容颜就要按照一定的面部比例和精致的五官来表现人物。

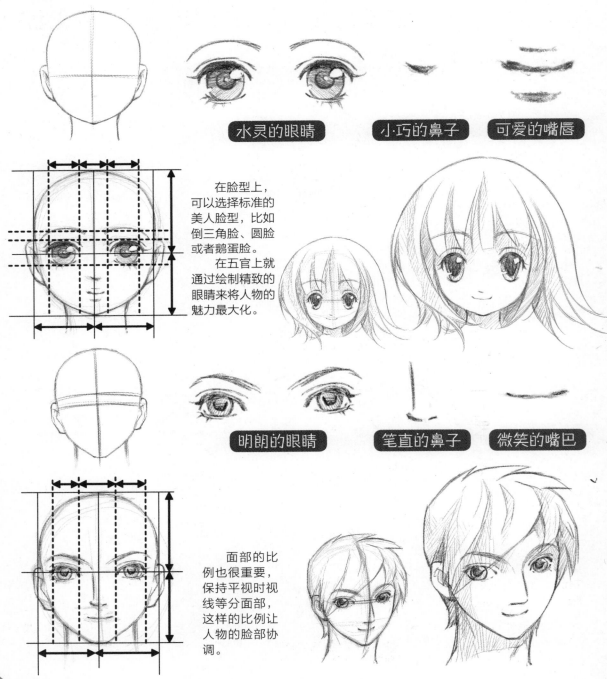

水灵的眼睛　　小巧的鼻子　　可爱的嘴唇

在脸型上，可以选择标准的美人脸型，比如倒三角脸、圆脸或者鹅蛋脸。

在五官上就通过绘制精致的眼睛来将人物的魅力最大化。

明朗的眼睛　　笔直的鼻子　　微笑的嘴巴

面部的比例也很重要，保持平视时视线等分面部，这样的比例让人物的脸部协调。

组合出丑陋的脸

在漫画当中也会出现丑陋的角色，在绘制这样的角色时也要把握角色五官的表现要点和面部的比例，适量拉长人物的面部能创造出奇怪的视觉感。

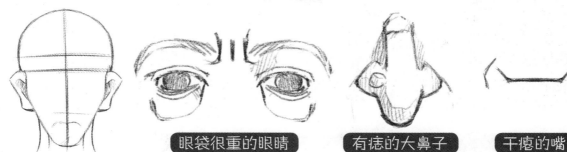

眼袋很重的眼睛　　　有痣的大鼻子　　　干瘪的嘴

一般在绘制丑陋的人物面部时，可以尝试拉长人物的面部，让视线下的部分比例加长，让人感觉有不协调感。

丑陋角色的正面

典型的鹰钩鼻，将鼻子的外形绘制的更尖更长，突出丑陋感。

月亮形的脸型是常用的丑陋面部脸型，下巴会很翘，从侧面看就像是月亮。

丑陋角色的3/4面

下巴长且往上翘，也表现出丑陋的一面。

组合出奇形怪状的脸

在漫画中还会出现一些神怪人物，他们通常有着奇形怪状的脸部。在绘制这样的人物时，可以对人物的五官进行变形或者做一定的修改。

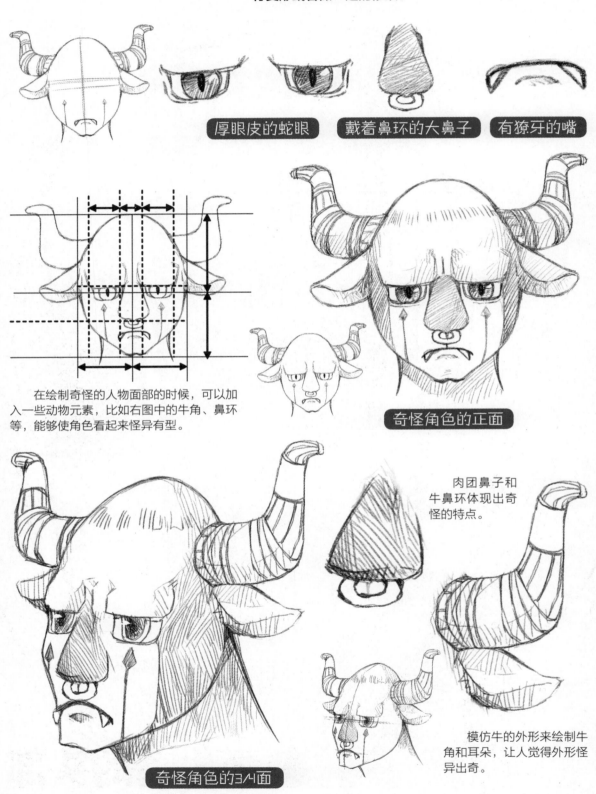

厚眼皮的蛇眼

戴着鼻环的大鼻子

有獠牙的嘴

在绘制奇怪的人物面部的时候，可以加入一些动物元素，比如右图中的牛角、鼻环等，能够使角色看起来怪异有型。

奇怪角色的正面

肉团鼻子和牛鼻环体现出奇怪的特点。

模仿牛的外形来绘制牛角和耳朵，让人觉得外形怪异出奇。

奇怪角色的3/4面

生动的头部更利于读者的深刻记忆，能够更具体的表现出角色的外貌特征。生动的头部需要丰富的面部表情以及多变的发型作为支撑。本章讲解表情在面部中的表现，以及不同发型的绘制技巧。

刻画生动的头部

人物表情是丰富而复杂的，要正确的绘制出表情的变化，首先要了解控制表情的面部肌肉，根据肌肉的变化特征来绘制人物的表情。

控制表情的面部肌肉

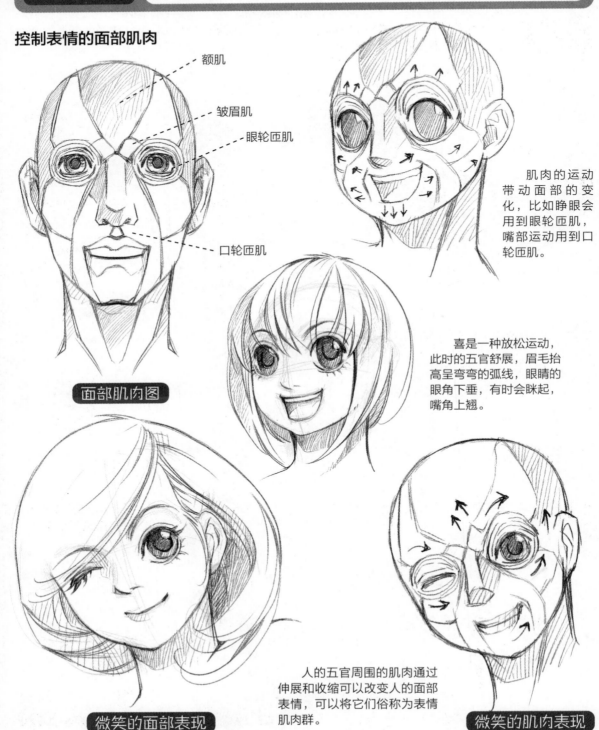

额肌

皱眉肌

眼轮匝肌

口轮匝肌

面部肌肉图

肌肉的运动带动面部的变化，比如睁眼会用到眼轮匝肌，嘴部运动用到口轮匝肌。

喜是一种放松运动，此时的五官舒展，眉毛抬高呈弯弯的弧线，眼睛的眼角下垂，有时会眯起，嘴角上翘。

微笑的面部表现

人的五官周围的肌肉通过伸展和收缩可以改变人的面部表情，可以将它们俗称为表情肌肉群。

微笑的肌肉表现

Lesson 02 认识一些基本表情

除了愉悦，基本表情还有有愤怒、吃惊和悲伤这几种类型，每一种表情都有不同的肌肉变化。

愤怒

愤怒是较为强烈的一种情绪，因感到极度不满而产生的情绪。面部此时呈现收缩状态，注意把握眉和嘴的结构变化。

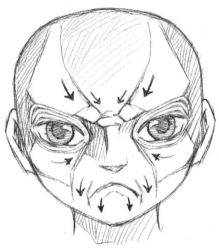

怒的主要特征是眉毛竖起，鼻孔扩大以及双唇紧咬，面部肌肉处于紧绷状态。

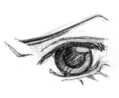

因为眉肌的挤压使得眼睛周围的肌肉产生变化，使得眉头部位产生褶皱，眼睛前半部呈现下压的状态。

通过口轮匝肌的作用使得嘴角下瘪。

露出愤怒表情的角色绘制流程

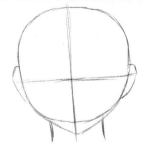

1 绘制出人物的脸部轮廓，画出十字基准线。

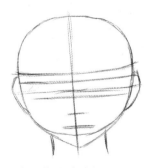

2 画出人物眼睛的位置，表示出鼻子和嘴巴。

3 愤怒时，眉头紧皱而眉尾会挑高，嘴角要绘制成下垂状。

4 描绘出人物五官的主要线条，画出眉间的皱纹。

5 绘制人物头发的基本形，线条可以画得硬朗一些，衬托人物情绪。

6 修饰出人物的面部和头发的细节，加上阴影。

吃惊

吃惊是因突发状况而感到惊讶的一种瞬时情绪，在面部的表现和停留时间很短。

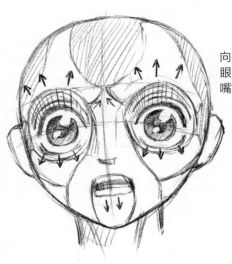

惊的特征是五官都向外扩张，眉毛抬高，眼睛圆睁，鼻孔扩张，嘴巴张开。

 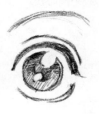

因为惊讶的刺激，眼轮匝肌扩张，使得眼睛呈现圆睁状。

口轮匝肌的肌肉绷紧，嘴巴张开时呈僵硬状态。

露出吃惊表情的角色绘制流程

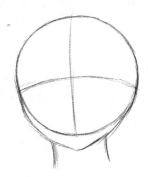

1 绘制出人物的脸部轮廓，视线是往上的弧线，表现微微抬头。

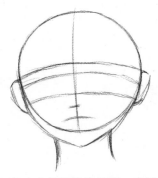

2 画出人物眼睛的位置，表示出鼻子和嘴巴。

3 吃惊时，眉毛抬高与上眼线距离拉开，眼睛圆睁，瞳仁缩小，嘴巴张开。

4 画出人物瞳仁的底色，画出嘴巴的轮廓。

5 绘制人物的头发时，可以画得飘逸一些，衬托惊讶时脸部的暂时静止。

6 修饰出人物的面部和头发的细节，加上阴影。

1
Chapter
认识漫画角色

2
Chapter
过目不忘的脸

3
Chapter
刻画生动的头部

4
Chapter
绘制出众的体格

恐惧

恐惧是因为周围有不可预料、不可确定的因素而导致的无所适从的心理或生理的一种强烈反应。

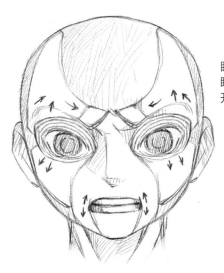

惧的五官特征是眼睛肌肉紧绷，而眼睑出现褶皱，嘴部张开，肌肉紧绷。

恐惧的情绪引起上眼轮匝肌皱紧，下半部分绷紧。

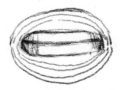

口轮匝肌的肌肉绷紧，牙齿咬紧。

露出恐惧表情的角色绘制流程

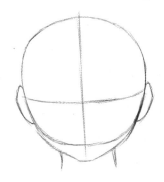

1 绘制出人物的脸部轮廓，视线是往下的弧线，因恐惧而往后缩。

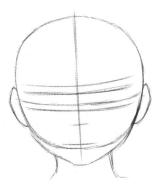

2 画出人物眼睛的位置，表示出鼻子和嘴巴。

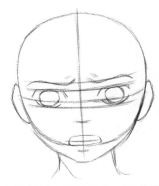

3 恐惧时，眉毛皱起，眼睑线向中间收拢，嘴巴张开，嘴角下垂。

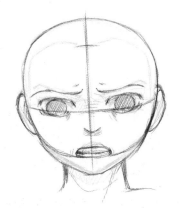

4 画出人物瞳仁的底色，画出嘴巴的轮廓。

5 绘制人物的头发轮廓，擦去面部多余的线条。

6 修饰出人物的面部和头发的细节，加上阴影。

厌恶

厌恶是一种反感的情绪。不仅味觉、嗅觉、触觉或者想象、耳闻、目睹会导致厌恶感，人的外表、行为甚至思想都会导致同样的结果。

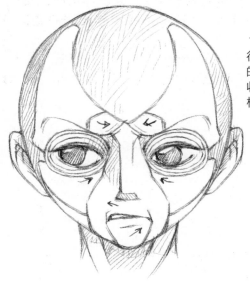

恶的五官特征是眼部和脸颊的肌肉向中心线收拢，嘴部肌肉相反运动。

眼轮匝肌向内眼角皱紧，皱眉肌收紧。

口轮匝肌向相反方向运动，咧嘴是厌恶的典型动作。

露出厌恶表情的角色绘制流程

1 绘制出人物的脸部轮廓，绘制出十字基准线。

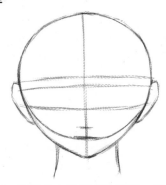

2 标示出人物五官的位置，绘制出耳朵。

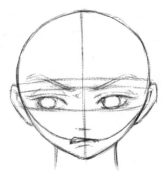

3 厌恶时，眉心皱起，眼睛的视线侧移，嘴巴是咧成三角形。

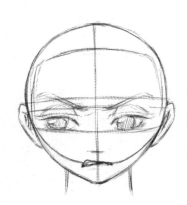

4 画出人物瞳仁的底色，画出眼睛周围的皱纹。

5 绘制人物的头发时，稍稍长一点的耳发能修饰人物的脸型。

6 修饰出人物的面部和头发的细节，加上阴影。

Lesson 03 不同年龄阶段角色的脸

角色的年龄不同，在脸部的设定上也会有变化。年幼的时候脸型更圆润，随着年龄的增长会变得更有轮廓，到年老的时候会呈现出干瘪的状态。

婴儿 在绘制婴儿角色的时候，要注意宝宝的眼睛位置在脸部中心偏下的位置，婴儿的额头看起来会比成人宽一些。

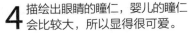
婴儿的面部比例

婴儿的头部比例和成人的差别很大。婴儿的五官全部挤在面部的1/2以下，后脑勺看起来特别明显，相对的脖子显得细瘦。

婴儿面部的绘制流程

1 绘制出圆形的轮廓，婴儿的脸是比较圆润可爱的。

2 绘制出十字基准线，记住婴儿的视线比成人偏低。

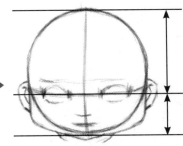

3 按照比例标示出婴儿的五官位置，并画出轮廓。

4 描绘出眼睛的瞳仁，婴儿的瞳仁会比较大，所以显得很可爱。

5 根据头顶的轮廓绘制出头发，婴儿的头发比较柔软。

6 擦去周围的杂线，描出主要的线条，加上阴影。

标准的婴儿角色

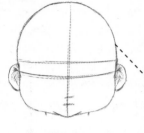 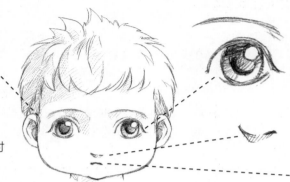

脸颊胖胖的，到下巴时有小小的收拢。

眼睛的瞳仁很大，几乎占满眼眶，很可爱。

鼻子和嘴巴的表现都是弱弱小小的。

改变脸型的婴儿角色

婴儿时期的脸部轮廓不是特别明显，脸颊都是圆圆的。

圆脸表现俏皮　　　尖脸表现机灵　　　方脸表现憨厚

改变五官的婴儿角色

婴儿时期的眼睛在脸部的比例占的比较大。

猫咪眼睛　　　大瞳仁眼睛　　　深眼线和猫咪嘴

改变发型的婴儿角色

婴儿的头发一般都是短短的，刚刚长出来，非常的柔软。

小男孩短发　　　把头发扎起来　　　自然卷的头发

幼儿

幼儿时期时，下巴的结构开始变得明显，额头的距离变短，眼睛的位置开始靠上，面部的特征逐渐形成。

幼儿的面部比例

幼儿的头部比例开始慢慢变化，眼睛位置开始往1/2处靠近，下巴开始有一定的形状。

幼儿面部的绘制流程

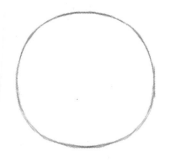

1 绘制出圆形的轮廓，幼儿的头部开始变得比较长。

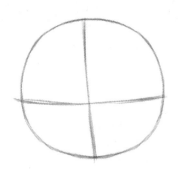

2 绘制出十字基准线，视线开始向脸部正中移动。

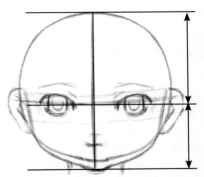

3 按照比例标示出幼儿的五官位置，并画出轮廓。

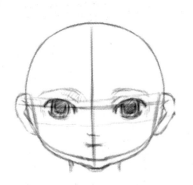

4 描绘出眼睛的瞳仁，瞳仁比婴儿时候小一些。

5 根据头顶的轮廓绘制出头发，发质开始变得硬朗。

6 擦去周围的杂线，描出主要的线条，加上阴影。

标准的幼儿角色

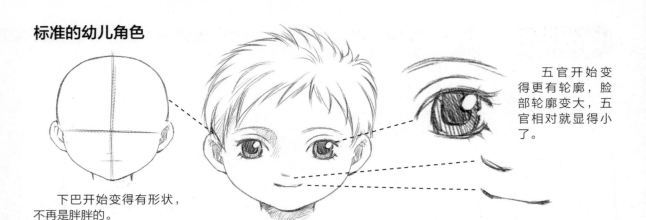

下巴开始变得有形状，不再是胖胖的。

五官开始变得更有轮廓，脸部轮廓变大，五官相对就显得小了。

改变脸型的幼儿角色

幼儿时期，圆脸运用得较多，但在表现一些特别的角色时，也用到尖脸和方脸。

圆脸

尖脸

方脸

改变五官的幼儿角色

改变五官能够使人物有很大的变化，比如眼睛绘制得更水灵，就像女孩子了。

普通眼睛

水灵的眼睛，点上眉心痣

眯眯眼

改变发型的幼儿角色

幼儿的头发发质比较柔软，一般以微卷的直发为主，也有自来卷的出现。

扎起一绺头发

有异域风格的齐刘海头发

柔顺的短发

小学生

到小学生的年纪，脸颊的轮廓开始逐渐成形，线条也变得硬朗，脸部的轮廓更接近成人，开始出现男女的差异。

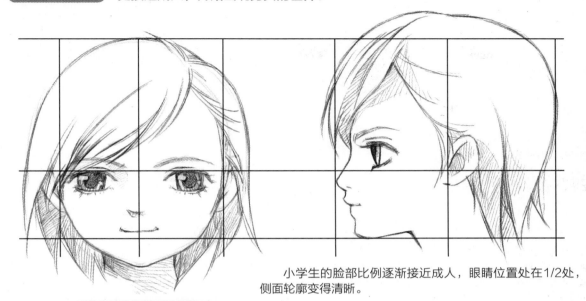

小学生的脸部比例逐渐接近成人，眼睛位置处在1/2处，侧面轮廓变得清晰。

小·学生的面部比例

小学生面部的绘制流程

1 绘制出圆形的基本形。

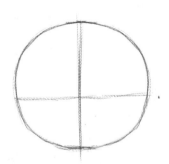

2 绘制出十字基准线，视线再次上移。

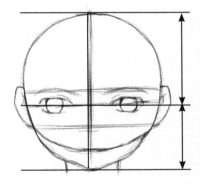

3 下巴的形状成形，按照比例标示出小学生的五官位置，并画出轮廓。

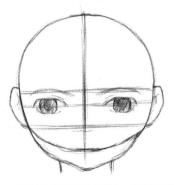

4 描绘出眼睛的瞳仁，此时的眼睛轮廓开始变得平实。

5 根据头顶的轮廓绘制出头发，绘制出嘴巴等五官。

6 擦去周围的杂线，描出主要的线条，加上阴影。

标准的小学生角色

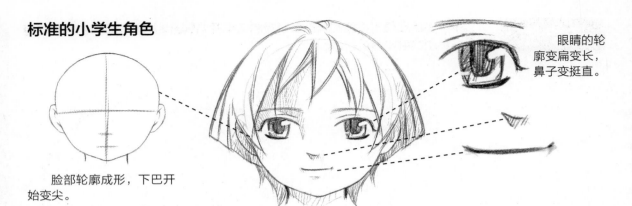

脸部轮廓成形，下巴开始变尖。

眼睛的轮廓变扁变长，鼻子变挺直。

改变脸型的小学生角色

无论是尖脸还是方脸，此时的脸部轮廓都偏圆润。

变成圆脸　　变成尖脸　　变成方脸

改变五官的小学生角色

小学生的鼻梁结构开始慢慢突起，但还是小小的。

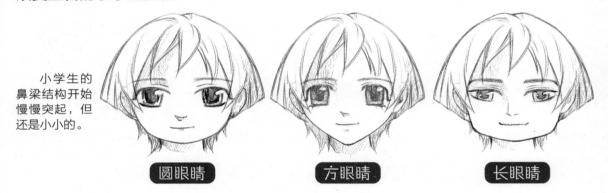

圆眼睛　　方眼睛　　长眼睛

改变发型的小学生角色

小学生的头发一般以活泼可爱为主，女孩子可以搭配上发饰。

侧分碎发　　波波头　　长刘海短发

中学生是正值青春期的年纪，颧骨的结构开始突出，眼睛和鼻子的轮廓更有棱角，眼睛的位置靠近正中。

中学生的面部比例

中学生的头部比例接近成人，鼻子的鼻底位置在中线以下的中点处。

中学生面部的绘制流程

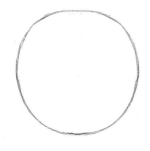

1 绘制出圆形的轮廓。

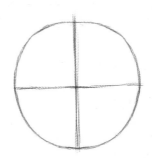

2 绘制出十字基准线，视线在脸部的中心位置。

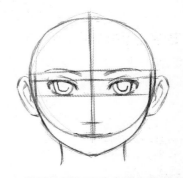

3 按照比例标示出中学生的五官位置，下巴在中心线的延长线上收拢。

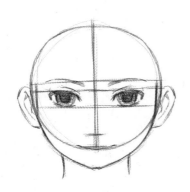

4 描绘出眼睛的瞳仁，眼线的轮廓明显。

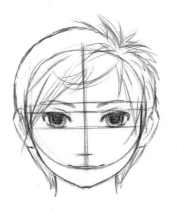

5 绘制出头发的基本形和走向，画出高光和嘴形。

6 擦去周围的杂线，描出主要的线条，加上阴影。

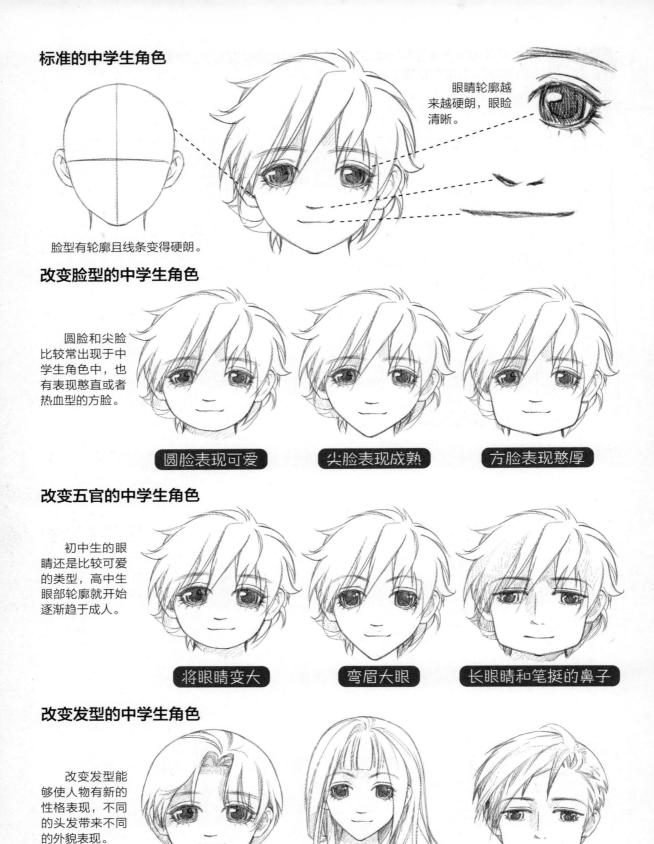

标准的中学生角色

眼睛轮廓越来越硬朗，眼睑清晰。

脸型有轮廓且线条变得硬朗。

改变脸型的中学生角色

圆脸和尖脸比较常出现于中学生角色中，也有表现憨直或者热血型的方脸。

圆脸表现可爱　尖脸表现成熟　方脸表现憨厚

改变五官的中学生角色

初中生的眼睛还是比较可爱的类型，高中生眼部轮廓就开始逐渐趋于成人。

将眼睛变大　弯眉大眼　长眼睛和笔挺的鼻子

改变发型的中学生角色

改变发型能够使人物有新的性格表现，不同的头发带来不同的外貌表现。

中分发　飘逸的中长发　侧分爽朗的短发

青年

青年时的头部已经完全定型，五官的形状也固定了，一般不会再发生改变，只有皮肤会随着时间而改变。

青年的面部比例

青年时期的面部轮廓视线处在面部比例的1/2正中处，下巴结构定型。

青年面部的绘制流程

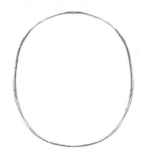

1 绘制出椭圆形的轮廓，青年的脸已经定型。

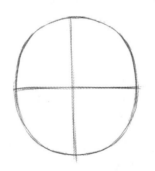

2 绘制出十字基准线，视线在脸部的正中。

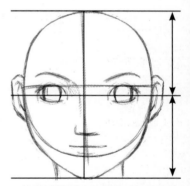

3 按比例绘制出青年的五官位置，画出眼睛的结构。

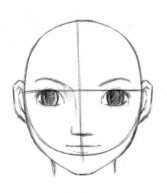

4 描绘出眼睛的瞳仁，勾出主要线条。

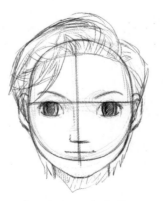

5 根据头顶的轮廓绘制出向后梳的头发，画出鼻子结构。

6 擦去周围的杂线，画出瞳孔和双眼皮线，加上阴影。

标准的青年角色

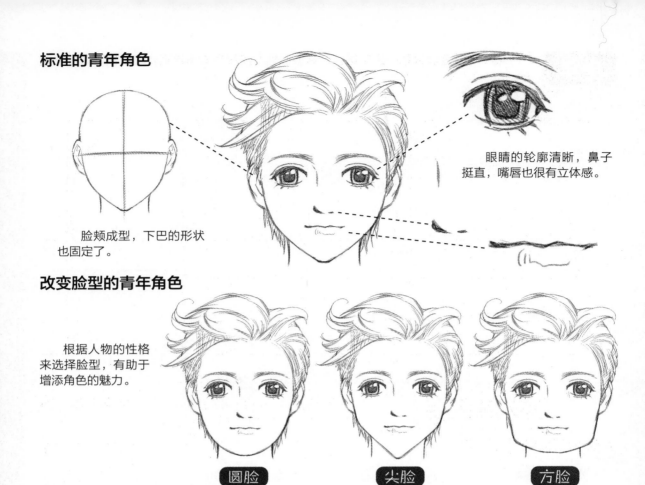

脸颊成型，下巴的形状也固定了。

眼睛的轮廓清晰，鼻子挺直，嘴唇也很有立体感。

改变脸型的青年角色

根据人物的性格来选择脸型，有助于增添角色的魅力。

圆脸

尖脸

方脸

改变五官的青年角色

青年时的五官已完全定型，很有线条感。

放大眼睛

绘制方眼睛

长眼睛和宽嘴唇

改变发型的青年角色

青年的发型选择是最多的，不会因为年纪不合适而无法选择。

中长碎发

中长卷发

侧分中长发

中年

到中年之后，人物的发际线就会慢慢靠后，皮肤也变得松弛，眼角和嘴角出现皱纹。

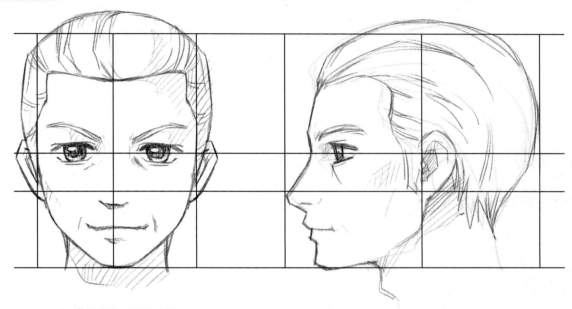

中年的面部比例

成年后的面部比例不再变化，随着年龄的增长只会有皮肤紧致度的改变，会产生下坠的皱纹。

中年人面部的绘制流程

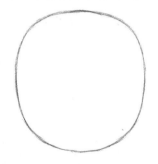

1 绘制出椭圆形的轮廓，老年人一般会有尖脸或者方脸。

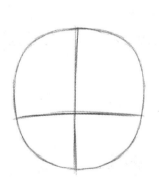

2 绘制出十字基准线，视线保持在脸部正中。

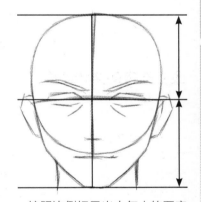

3 按照比例标示出中年人的五官位置，画出内眼角的皱纹。

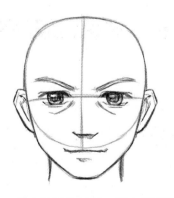

4 勾出眉毛的形状，画出眼睛的细节和嘴巴的基本形。

5 画出发际线和头发的轮廓及走向，加上嘴角的皱纹。

6 擦去周围的杂线，描出主要的线条，加上阴影。

标准的中年角色

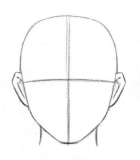

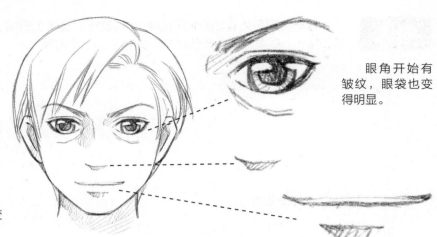

眼角开始有皱纹，眼袋也变得明显。

脸部轮廓没有太大的变化，皮肤开始松弛。

改变脸型的中年角色

脸颊的颧骨处开始突出，皮肤开始变得松弛。

圆脸

尖脸

方脸

改变五官的中年角色

中年人的眼部开始出现比较深的皱纹，眼袋开始加深。

吊梢眼

加皱纹，平眼

加重眼袋，长眼睛

改变发型的中年角色

中年人的头发会有一定程度的减少，发际线慢慢靠后。

后束发

中长微卷发

后梳发

老人

老年时期开始有明显的头发减少的现象，脸颊上的肉也开始减少，颧骨更加明显，额头、眼角周围和嘴巴都有很多皱纹，痕迹也很深。

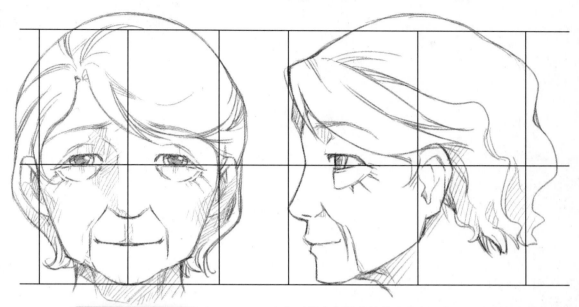

老年的面部比例

老年时期变化最大的就是眼窝，由于肌肉失去活力会变得凹陷，皱纹也急剧增多，法令纹非常明显。

老年人面部的绘制流程

1 绘制出圆形的轮廓。

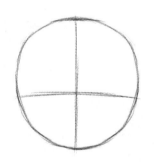

2 绘制出十字基准线，表示鼻梁和视线。

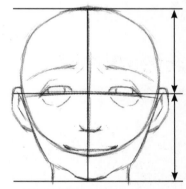

3 按照比例标示出老年人的五官位置，绘制出眼袋。

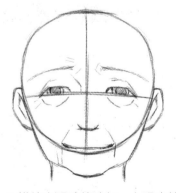

4 描绘出眼睛的瞳仁，上眼皮结构明显，绘制出法令纹。

5 绘制出头发的基本形，画出鼻子的结构。

6 加强头发的细节，绘制出阴影。

标准的老人角色

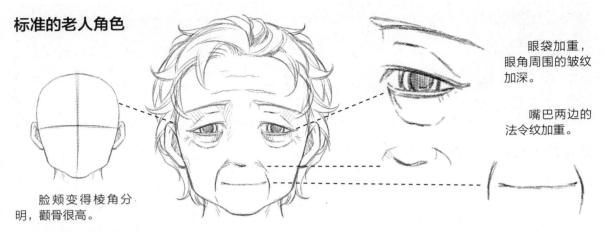

脸颊变得棱角分明，颧骨很高。

眼袋加重，眼角周围的皱纹加深。

嘴巴两边的法令纹加重。

改变脸型的老人角色

绘制圆脸时的轮廓会在颧骨下收拢，不再像年轻时那么饱满。

圆脸

尖脸

方脸

改变五官的老人角色

绘制老年人的五官时，要注意画出皱纹，眼袋是呈半圆的弧形。

朴实型

温婉型

慈祥型

改变发型的老人角色

到老年时的头发就开始稀疏，男性会有严重的谢顶，发际线就会靠后。

沉稳后盘发

蓬松短卷发

稀疏的侧分发

Lesson 04 了解头发的绘制要点

决定人物外形和性格的另一个重点就是头发的绘制。绘制有魅力的头发要先了解头发的生长特点和绘制要点。

头发的生长特点

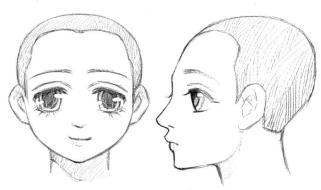

发际线是面部到发根间的界线。

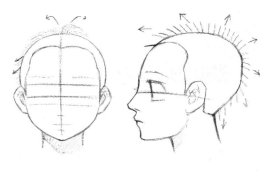

头发是由脑勺后的发旋为中心点，旋转生长的，越往发尾线条越密集。

头发的绘制流程

1 绘制出人物的半侧面头部轮廓，标出十字基准线。

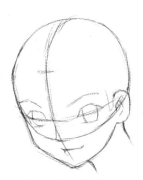

2 绘制出五官的基本形，画出耳朵的结构。

3 画出头发生长方向的辅助线，绘制出眼睛瞳仁的底色。

4 细化眼睛的细节，擦去辅助线，绘制出头发侧分线。

5 绘制出头发的基本形。

6 添加头发的疏密线条，加上阴影。

头发是有厚度的

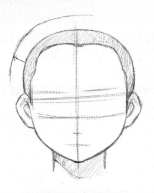

头发发量丰厚

头发厚主要是因为发量多或者发根为直立生长的，厚度大能让人物的头发看起来蓬松丰满，头部轮廓也显得比较大。

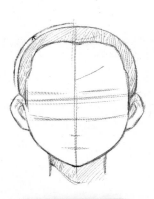

头发发量稀少

头发薄主要是因为发量少或者发根柔软顺着生长方向，薄的头发能够让人觉得比较内向，头部轮廓较清晰。

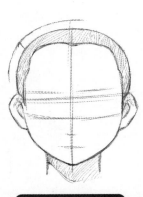

头发发量适中

头发适中的厚度是比较常用的，也是比较常见到的，能够表现很多种发型，也能够修饰头部轮廓。

Lesson 05 头发的长度

头发的长度一般分为长发、短发和中长发3种。可以通过这些变化绘制出各式各样不同的发型，特别是长发要注意发丝在身体上的变化。

短发

只要能准确标明人物头部发际线的位置，就能够很容易的将短发描绘出来。根据男女性别的差异，短发的长度也会发生变化，了解这些变化才能更好的表现短发。

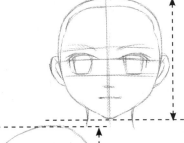

短发就是头发不到肩膀的长度，脖子完全露出来。

女性的标准短发要比男性稍微长一些。只需要标出额头到两边耳朵部位的发际线就可以描绘出女性标准短发了

男性标准短发很容易表现，只需要了解发际线的位置，然后在外围添加头发即可。

短发角色的绘制流程

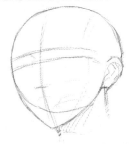

1 绘制出人物的半侧面头部轮廓，标出十字基准线，标出五官的位置。

2 绘制出五官的基本形，画出耳朵的结构。

3 绘制出发际线，添加五官的细节，画出眼睛的瞳仁。

4 画出适中的头发厚度，绘制出短发的基本轮廓。

5 添加出刘海和发尾的发丝，画出瞳仁细节。

6 擦去杂线，绘制出头发的纹理，加上阴影。

中长发

中长发没有短发清爽，尾发一般在脖子附近，很像现实生活中正在留长发时的过度时期。

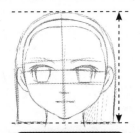

中长发的正面

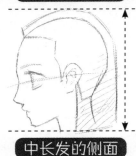

中长发的侧面

中长发一般是指可以遮住脖子的头发长度，也有刚刚齐肩的。

头发遇到肩膀会自然卷曲，呈现反翘状。

中长发角色的绘制流程

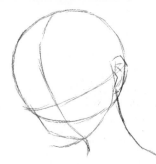

1 绘制出人物的半侧面头部轮廓，标出十字基准线。

2 绘制出五官的基本形，画出耳朵的结构。

3 绘制出发际线，添加五官的细节，画出眼睛的瞳仁。

4 画出适中的头发厚度，头发的长度在齐肩的位置。

5 添加出刘海和发尾的发丝，越到发尾，发线越密集。

6 擦去杂线，绘制出瞳仁细节，绘制出头发的纹理，加上阴影。

长发

长发是漫画中常见的发型长度，注意头发的生长方向和厚度的把控，绘制出发丝的流畅质感。

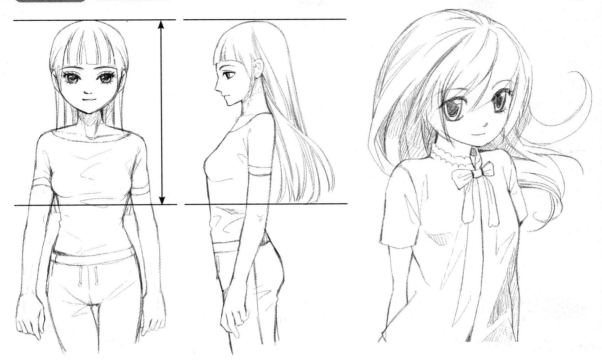

长发角色的绘制流程

1 绘制出人物的头部和身体轴线，再绘制出人物的动作结构图，添加发际线和服饰的基本轮廓。

2 根据发际线画出头发的走向和长度，描出人物身体的主要线条。

3 绘制出头发的细节，发尾卷起，绘制出吊带裙，并加上褶皱和阴影。

Lesson 06 头发的造型

为头发造型有很多种方式，比如梳起来或者盘头，直发可以做成卷发，还可以通过不同的组合来改变造型。

卷发

卷发一般有两种，一种是自来卷，先天的发质就是自然卷曲的；另一种就是通过药水和发卷做出来的。

卷发就像是把纸条皱成波浪形，像一个个S形。

直发就像是平顺的纸条，直发的发尾还是会有曲线的。

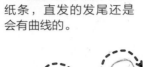

纸片折得越厉害，发卷越卷，也会有矩形的折纹。

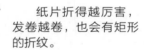

还有一种是螺旋状的卷曲，头发也像纸片一样呈螺旋状旋转。

扎辫子

把头发扎起来也是造型的一种，扎辫子的造型有很多种变化，扎起的高低或者多少不同，发型也有很大的变化。

头发扎起的时候，靠近束发带的头发都逐渐收拢。

扎辫子造型的绘制流程

1 先绘制出发际线，标示出头发要扎起的位置，发丝的方向是朝圆圈位置收拢的。

2 绘制长头发的大致轮廓，扎起的头发开端是圆润的弧线。

3 绘制出发丝的细节，擦去辅助线条。

扎头发的位置一定要把握好，一般保持在正中，不能太靠发际线，否则会显得不平衡。

半侧面时的发束位置

半侧面时的发束表现

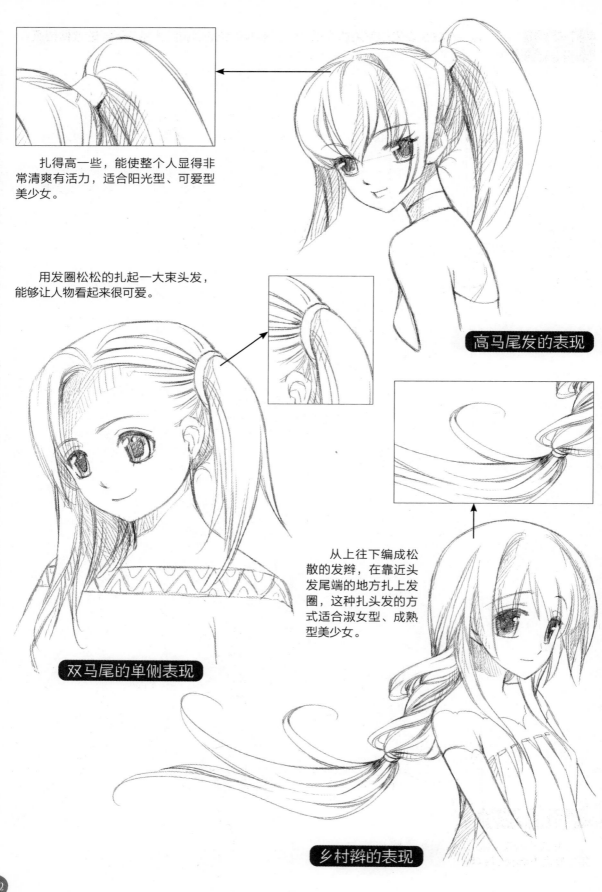

扎得高一些，能使整个人显得非常清爽有活力，适合阳光型、可爱型美少女。

用发圈松松的扎起一大束头发，能够让人物看起来很可爱。

高马尾发的表现

双马尾的单侧表现

从上往下编成松散的发辫，在靠近头发尾端的地方扎上发圈，这种扎头发的方式适合淑女型、成熟型美少女。

乡村辫的表现

盘头

盘头也是头发造型常用的方式之一，不同类型的盘头给人带来不同的性格特点。

人物的头部是圆形的，发髻的内部贴合头部，所以，应该是往内凹的弧形。

头发盘起时，每一个发髻都是有厚度的，所以要在结构图上表示出立体结构。

画盘发的时候要注意发丝的走向，会有交错的线条出现。

大麻花辫盘发

先梳好麻花辫，再一圈圈挽起来，是很简单的一种盘发。

Lesson 07 头发的装饰

在头发的造型基本成型的时候，还可以通过不同的发饰来装饰。这些装饰虽然是添加在头发上，却能增添整个人物的魅力。

发卡和发带

发卡和发带是比较常用到的发饰，使用很方便，造型的变化也很多。

普通中长发

可爱的花朵发夹适合可爱型美少女。

缎带蝴蝶结发饰适合娴静型美少女。

花朵发夹

单圈蝴蝶结发夹

可爱心发卡

花与蝴蝶结发饰

缎带

在发型固定好之后，可以直接拴上缎带，打上蝴蝶结作为装饰。

发爪

花朵图案的发爪，能够抓起大束盘起的头发，可以直接做固定用，使用很方便。

发箍和发钗

发箍是装饰性和实用性比较强的发饰，在固定头发的同时起到装饰的作用。发钗一般是在盘发时使用。

普通蓬松短发

碎花发箍用于固定前后发。

蝴蝶结发箍

珍珠发箍

绒质宽发箍

宝石发钗

花朵发钗

发钗在使用时有一部分是插入头发发髻中的，要注意画出遮挡关系。

戴发钗的表现

戴花朵发箍的表现

头巾和包布

头巾是一种比较流行的头饰，不管是可爱风还是嬉皮风都会有头巾的踪影，包布则是在嘻哈打扮中常见到，也用于洗头之后包裹头发。

普通中分发

素色头巾增添帅气。

宽包头巾显得可爱搞怪。

迷彩图案的头巾

裹头巾

在包头巾的时候，靠近头巾的头发后有小小的收拢，要保持头部的轮廓圆润。

裹头布的褶皱是从收拢中心往3个方向发展的。

神奇的漫画独有造型

有些头发造型是在现实生活当中不会出现的，在神奇的漫画世界当中就可以发挥想象来创造。在幻想的世界中什么材质的东西都可以变成头发。

美杜莎发型和火焰发型

美杜莎是希腊神话中的人物，头发全是毒蛇。我们也可以想象将人物的头发绘制成绚丽的火焰。在绘制这些想象力丰富的头发时一定要注意画面的整体美感哦！

绘制蛇形头发的时候，要绘制出蛇的曲线和硬朗，蛇头是倒三角形的。

美杜莎发型的表现

火焰头发的表现

火焰是从中心向四周发散的，在火焰尾又向内收拢。

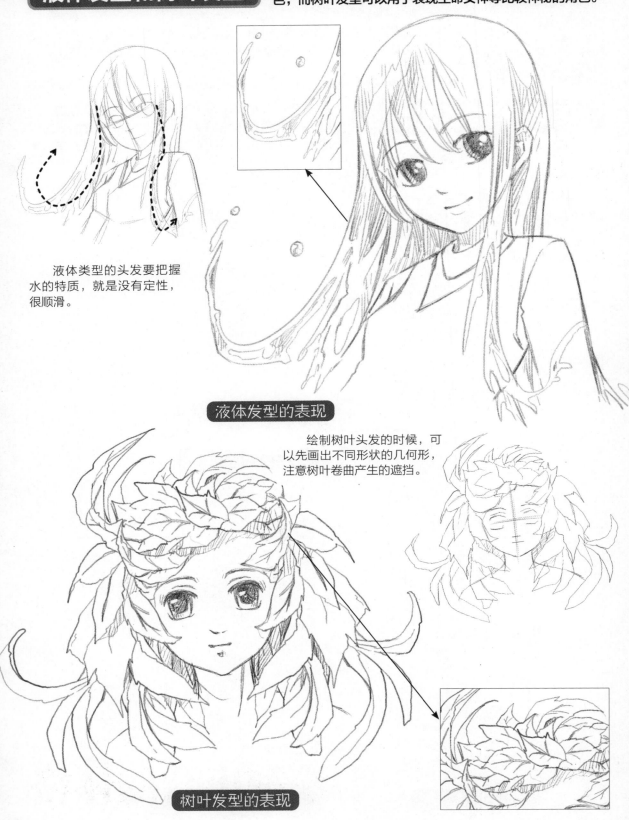

液体发型和树叶发型

液体发型可以用于表现精灵，或者是性格温柔的女性角色；而树叶发型可以用于表现生命女神等比较神秘的角色。

液体类型的头发要把握水的特质，就是没有定性，很顺滑。

液体发型的表现

绘制树叶头发的时候，可以先画出不同形状的几何形，注意树叶卷曲产生的遮挡。

树叶发型的表现

有型的体格能够让角色的外形加分。根据角色的分类选取身材的类型，了解身体各个部位的构成与绘制技巧，都是设定角色体格的基础。本章在讲解基础知识的同时，还会介绍一些实例的绘制来让大家学习如何设定角色体格。

绘制出众的体格

Lesson 01 人体构造及各个部位的名称

了解人体的构造才能够绘制出比例平衡的完美身材，下面将给大家介绍人体构造和各部位的名称。

认识人体骨骼构造

人体骨骼有206块，对于学习漫画而需要了解的骨骼就没有那么多了。通常可以将人体骨骼分为头部、躯干和腿部三大部分，只要学习每个部分中最重要的骨骼就可以了。

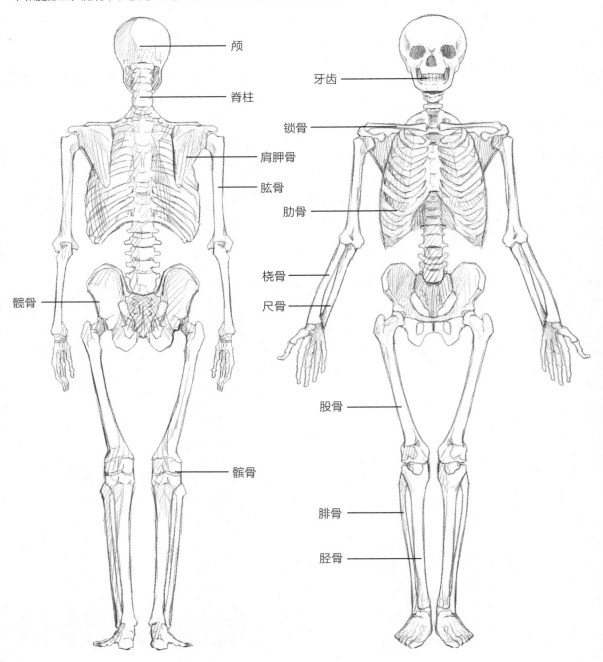

- 颅
- 牙齿
- 脊柱
- 锁骨
- 肩胛骨
- 肱骨
- 肋骨
- 桡骨
- 尺骨
- 髋骨
- 股骨
- 髌骨
- 腓骨
- 胫骨

认识人体肌肉构造

　　和学习人体骨骼一样，不需要将所有细小的肌肉名称都记住，只需要记住主要的就可以了。光记住肌肉名称是远远不够的哦，肌肉的形状和变化，尤其是手臂和胸腹部分的肌肉是必须要牢记的。因为这会对以后的学习提供有力的基础支持。

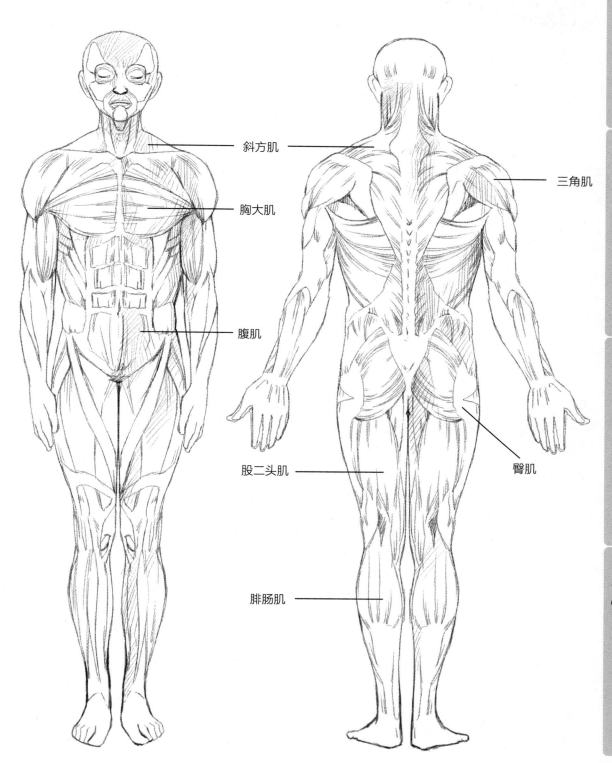

斜方肌

三角肌

胸大肌

腹肌

臀肌

股二头肌

腓肠肌

1
Chapter
认识漫画角色

2
Chapter
过目不忘的脸

3
Chapter
刻画生动的头部

4
Chapter
绘制出众的体格

手脚的骨骼与肌肉

　　学习漫画的人最容易忽视手脚的绘制，尤其是脚步的绘制，其实这是不好的。如果能将整个漫画人物都画得很完美，单单手和脚画得不好，或是将它们隐藏起来，或是干脆简化不管，那么所画出来的漫画就永远都不能进入优秀漫画的行列了。

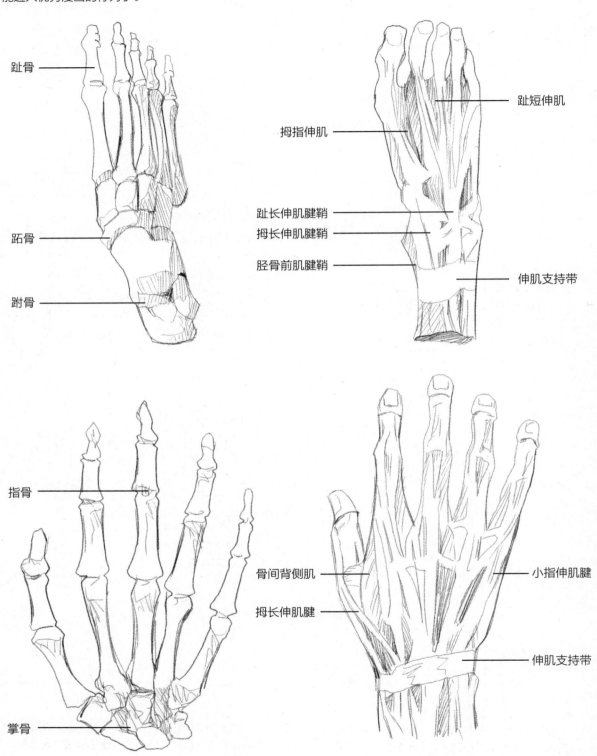

趾骨

跖骨

跗骨

趾短伸肌

拇指伸肌

趾长伸肌腱鞘

拇长伸肌腱鞘

胫骨前肌腱鞘

伸肌支持带

指骨

掌骨

骨间背侧肌

拇长伸肌腱

小指伸肌腱

伸肌支持带

骨骼加肌肉是塑造角色形体的关键要素

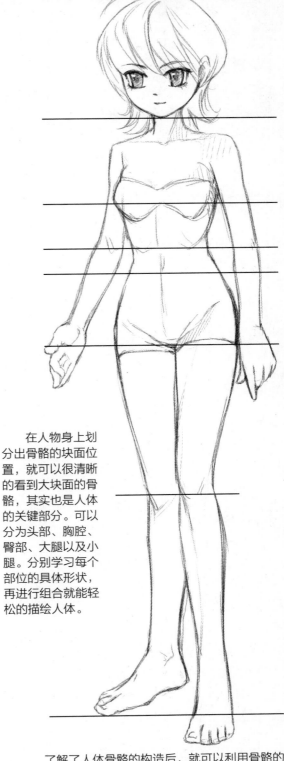

了解人体骨骼的结构，能够准确的表现出躯干的结构，胸肋呈椭圆状，盆骨处呈三角状。

以骨骼为基准，在骨骼的周围勾出腰、臀、腿的肌肉起伏线条。

在人物身上划分出骨骼的块面位置，就可以很清晰的看到大块面的骨骼，其实也是人体的关键部分。可以分为头部、胸腔、臀部、大腿以及小腿。分别学习每个部位的具体形状，再进行组合就能轻松的描绘人体。

连接头部加上脖子的肌肉线条，肩膀处的肌肉较薄，勾出手的肌肉。

只加上肌肉的身体线条很僵硬，用柔和的线条再勾出身体的轮廓。

了解了人体骨骼的构造后，就可以利用骨骼的外形来简化人体的骨骼，这样便于以后绘制人体。

绘制人体的技巧

了解了人体的构造，接下来讲解一些人体的绘制技巧，能够使大家绘制出协调的人体结构。

全身的绘制要点

在绘制全身的时候，要先确定人物的头身比例，头身比例就是以一个头为单位长来表示身体的比例。

通过头身比例绘制人体的流程

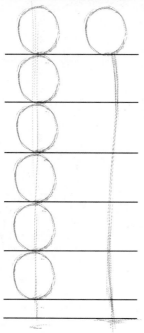

1 确定好人物的头身比例，用等头大小的圆圈表示。

2 绘制出人物的躯干，用沙漏形来表现身体曲线。

3 添加出人物的四肢结构，绘制出肌肉的弧度。

人物全身的展示

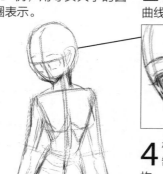

4 根据十字基准线，绘制出人物的五官结构。

5 绘制出人物的头发外形，发尾表现密集发丝。

身体轮廓的草图表现

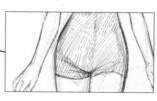

6 勾出身体的流畅线条，绘制出简单的服饰。

上半身的绘制要点

上半身的组成有胸部、腰部以及臀部结构，是表现人物身体曲线的重要部位。

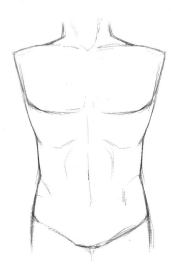

女性的躯干曲线起伏较大，胸、腰、臀的比例呈现宽、窄、宽的曲线。

男性的躯干曲线平实，胸廓较宽，腰部与臀部的线条起伏不大。

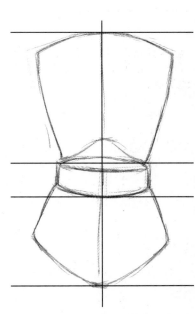

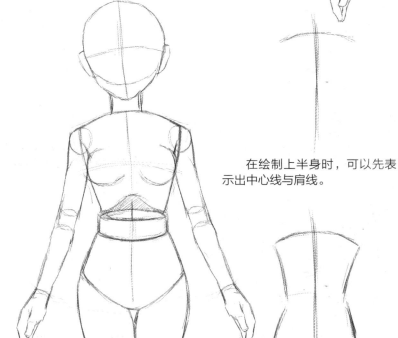

在绘制上半身时，可以先表示出中心线与肩线。

女性上半身结构图

人体的躯干类似沙漏形。

上半身的结构是以脊柱线为中心线，躯干左右是对称的。

手的绘制要点

手的绘制是人物身体中一个难点之一，由于手部是有很多关节结构，所以能够做出很多动作变化。下面就来介绍一下手部的绘制技巧。

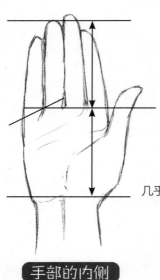

手部的手指与手掌几乎各占1/2的比例。

手部的内侧

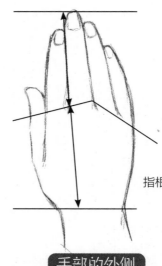

在中指之后，手指指根的关节开始下移。

手部的外侧

手的绘制流程

1 绘制出手部的比例线，表示出手指与手掌的结构。

2 画出手部的关节和手指的骨架线。

3 绘制出手指的轮廓，勾出手腕的线条。

4 描出手部的轮廓线，画出手背的关节突出点。

手的不同姿态

摊开手掌的表现

右手手背的表现

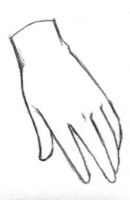

左手手背的表现

腿和脚的绘制要点

在绘制腿部结构的时候，要将脚部也联系起来学习，腿和脚由脚踝连接，连接处有关节凸起的曲线。

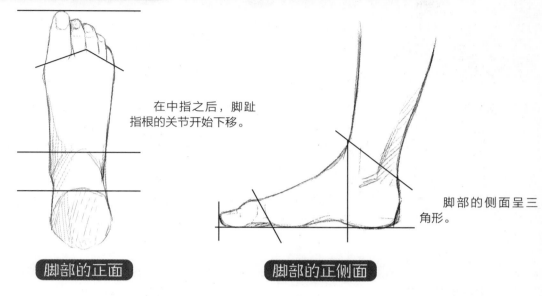

在中指之后，脚趾指根的关节开始下移。

脚部的侧面呈三角形。

脚部的正面

脚部的正侧面

腿脚的绘制流程

  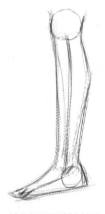 

1 绘制出小腿的骨架线，加上膝关节和踝关节。

2 添加出腿部的肌肉轮廓，绘制出小腿肚的起伏线条。

3 绘制出脚趾的结构。

4 勾出脚部的轮廓线，画出脚踝的阴影线。

脚的不同姿态

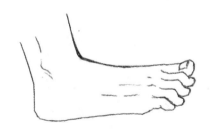  

脚背外侧的表现

脚背内侧的表现

脚背俯视的表现

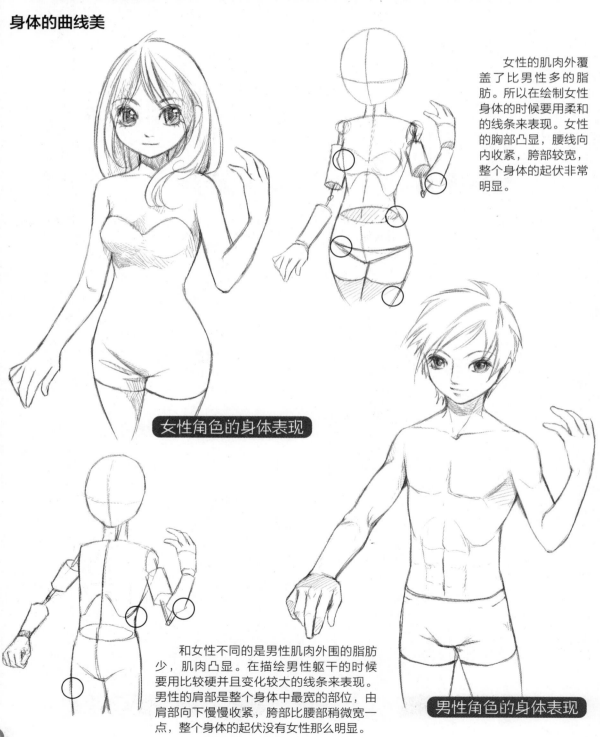

Lesson 03 发现人体的曲线美

人体是由曲面构成的，绘制身体轮廓需要把握曲线的柔和。当然这里所说的曲线美不能一概而论，因为男性和女性的曲线美是截然不同的。接下来看看人体的美丽曲线。

身体的曲线美

女性的肌肉外覆盖了比男性多的脂肪。所以在绘制女性身体的时候要用柔和的线条来表现。女性的胸部凸显，腰线向内收紧，胯部较宽，整个身体的起伏非常明显。

女性角色的身体表现

和女性不同的是男性肌肉外围的脂肪少，肌肉凸显。在描绘男性躯干的时候要用比较硬并且变化较大的线条来表现。男性的肩部是整个身体中最宽的部位，由肩部向下慢慢收紧，胯部比腰部稍微宽一点，整个身体的起伏没有女性那么明显。

男性角色的身体表现

伸缩与扭曲的曲线美

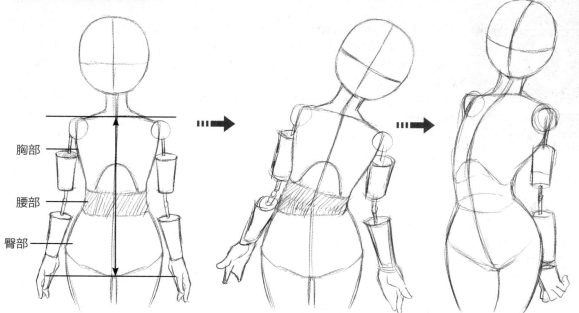

胸部

腰部

臀部

侧腰的时候，一边腰部的肌肉呈拉伸状态，另一边呈压缩状态。

扭腰的时候，身体和脊柱线呈S形。

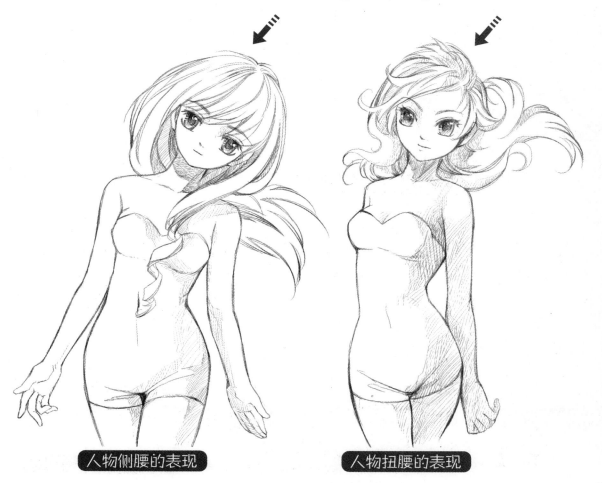

人物侧腰的表现

人物扭腰的表现

Lesson 04 身体比例

掌握身体的比例是创作角色的基础，确定人物的整体比例能够更好的表现角色之间的区别。

代表性的头身比

在漫画角色中，成人以7头身为标准头身比，高挑身材会达到8头身，5头身或以下的头身比多用于表现青少年及孩童。

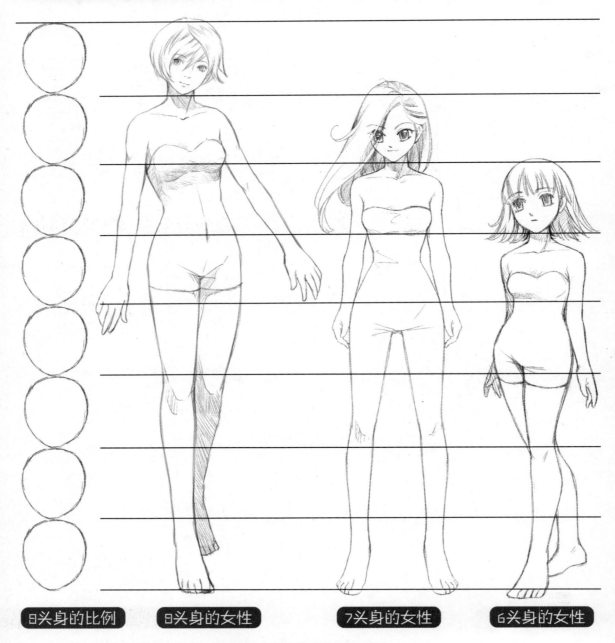

8头身的比例　　8头身的女性　　7头身的女性　　6头身的女性

头身比可以体现出角色的年龄，越高的角色给人的感觉就越成熟。

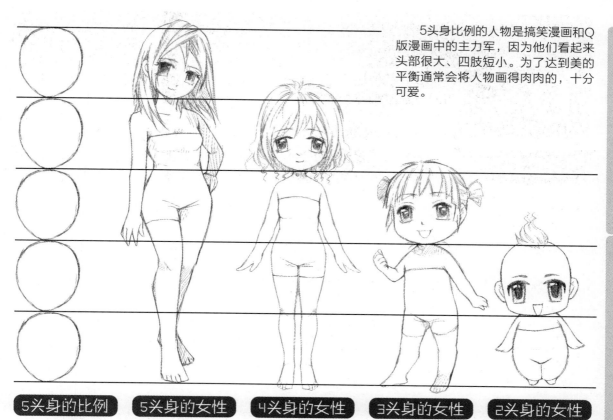

5头身比例的人物是搞笑漫画和Q版漫画中的主力军，因为他们看起来头部很大、四肢短小。为了达到美的平衡通常会将人物画得肉肉的，十分可爱。

| 5头身的比例 | 5头身的女性 | 4头身的女性 | 3头身的女性 | 2头身的女性 |

　　了解头身比能够更快的设计出符合故事的角色。可以通过故事定位来决定使用哪种头身比的角色，大体的比例定下以后再设计角色的其他相关特点就要容易很多。例如要画一个根据真人真事改编的历史故事。因为是正剧，所以选用和真人差不多的7头身比例。这样就比较贴合事实。但如果把正剧改成闹剧，那选择面就更加宽广了，既可以选择7头身角色也可选择5头身角色，甚至是3头身角色来演绎。

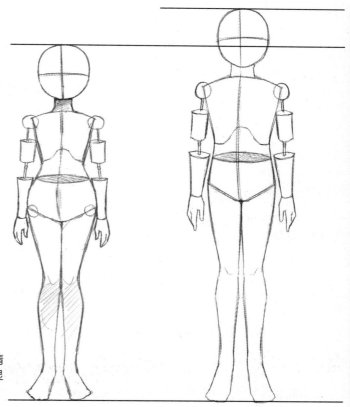

在同头身比例的情况下，男性的身高明显比女性要高。

1
Chapter
认识漫画角色

2
Chapter
过目不忘的脸

3
Chapter
刻画生动的头部

4
Chapter
绘制出众的体格

根据头身比来进行比例变化

在绘制人物的时候，可以通过对头身比例的变化来改变人物的外形和年龄，接下来就来看看转换的方法。

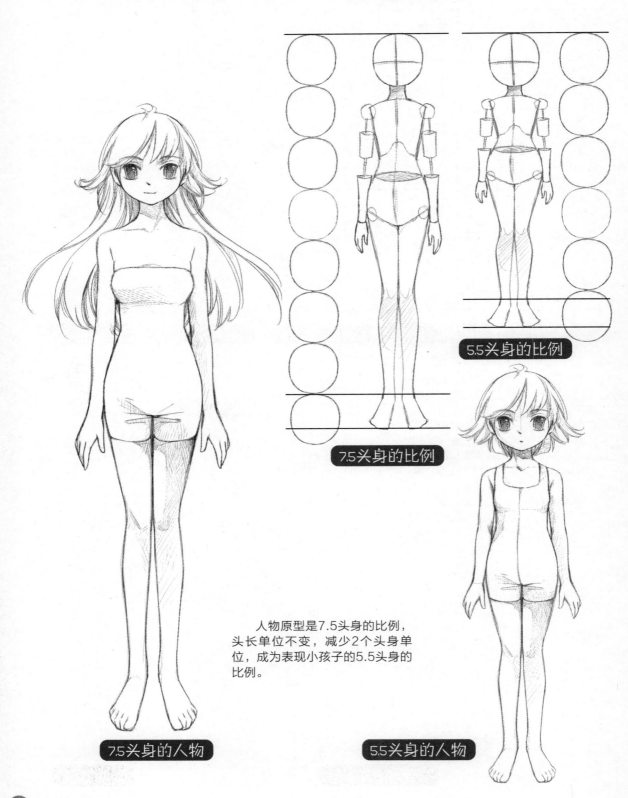

5.5头身的比例

7.5头身的比例

人物原型是7.5头身的比例，头长单位不变，减少2个头身单位，成为表现小孩子的5.5头身的比例。

7.5头身的人物

5.5头身的人物

比例也可以随心意变化

身体的比例可以根据角色设定的需要来作出调整，其中上下半身比例的调整能够使人物外形变化很大。

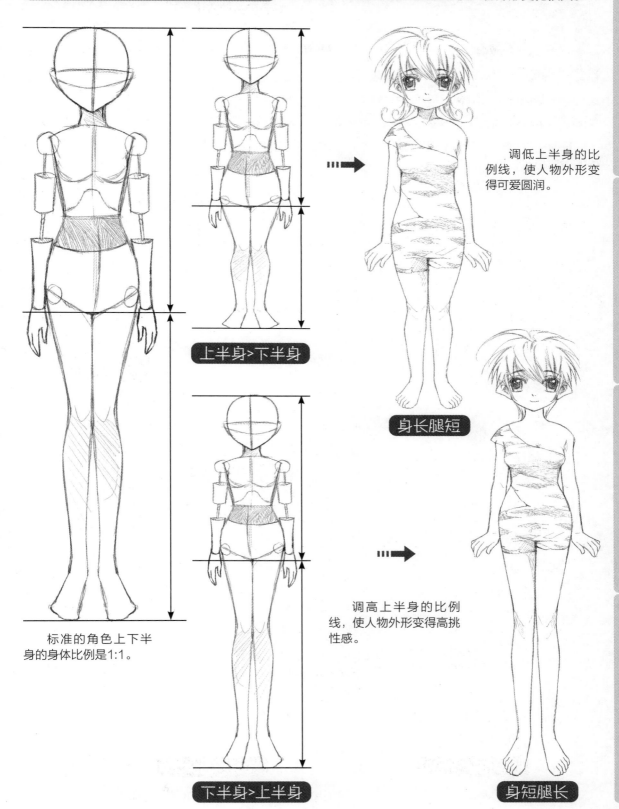

标准的角色上下半身的身体比例是1:1。

上半身>下半身

下半身>上半身

调低上半身的比例线，使人物外形变得可爱圆润。

身长腿短

调高上半身的比例线，使人物外形变得高挑性感。

身短腿长

1
Chapter
认识漫画角色

2
Chapter
过目不忘的脸

3
Chapter
刻画生动的头部

4
Chapter
绘制出众的体格

体型

角色设定的时候，需要确定人物的身材比例。不同的体型也能体现出角色外在的表现，而掌握人体的构架就能绘制出各种类型的体型。

纤瘦的体型最适合楚楚可怜的角色

纤瘦的体型能够表现柔弱类型的角色，高挑身材的女性角色通常也偏瘦。绘制纤瘦体型时，身体的骨架相对较小。

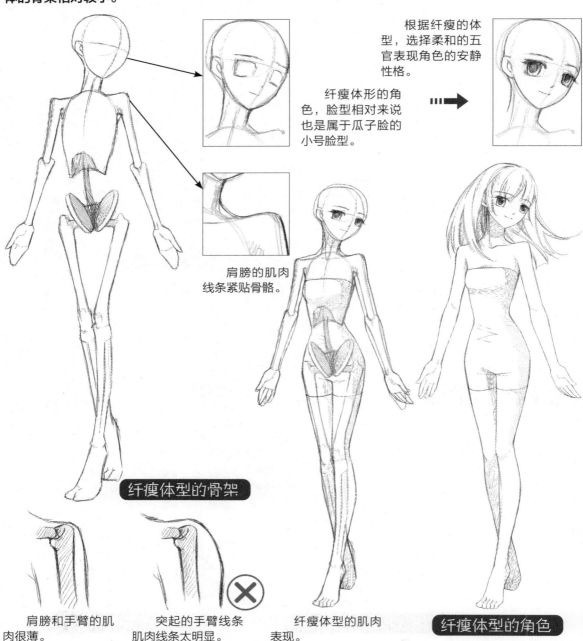

根据纤瘦的体型，选择柔和的五官表现角色的安静性格。

纤瘦体形的角色，脸型相对来说也是属于瓜子脸的小号脸型。

肩膀的肌肉线条紧贴骨骼。

纤瘦体型的骨架

肩膀和手臂的肌肉很薄。

突起的手臂线条肌肉线条太明显。

纤瘦体型的肌肉表现。

纤瘦体型的角色

在漫画人物的设定中，主角多是采用标准体型的，能够表现出人物身材的均衡，方便搭配各类服饰，也容易与配角区分开来。

女性角色的表现

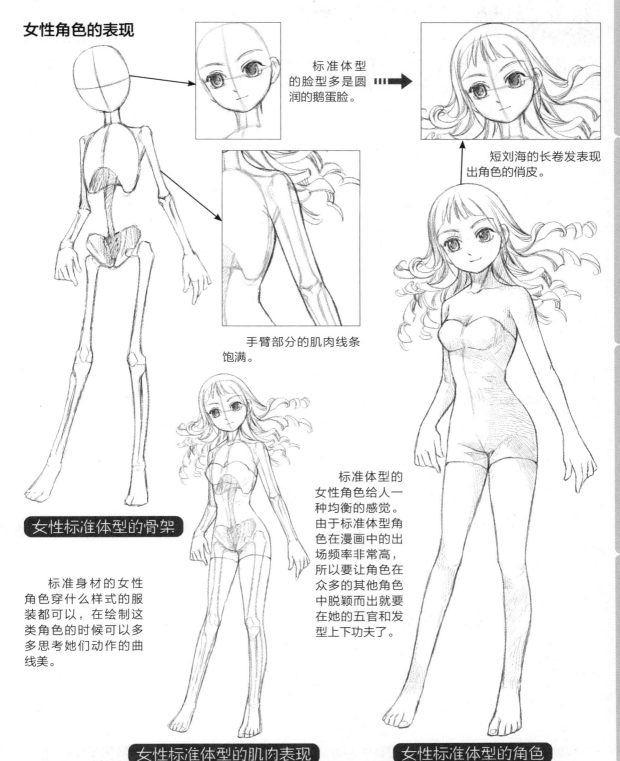

标准体型的脸型多是圆润的鹅蛋脸。

短刘海的长卷发表现出角色的俏皮。

手臂部分的肌肉线条饱满。

女性标准体型的骨架

标准身材的女性角色穿什么样式的服装都可以，在绘制这类角色的时候可以多多思考她们动作的曲线美。

标准体型的女性角色给人一种均衡的感觉。由于标准体型角色在漫画中的出场频率非常高，所以要让角色在众多的其他角色中脱颖而出就要在她的五官和发型上下功夫了。

女性标准体型的肌肉表现

女性标准体型的角色

男性角色的表现

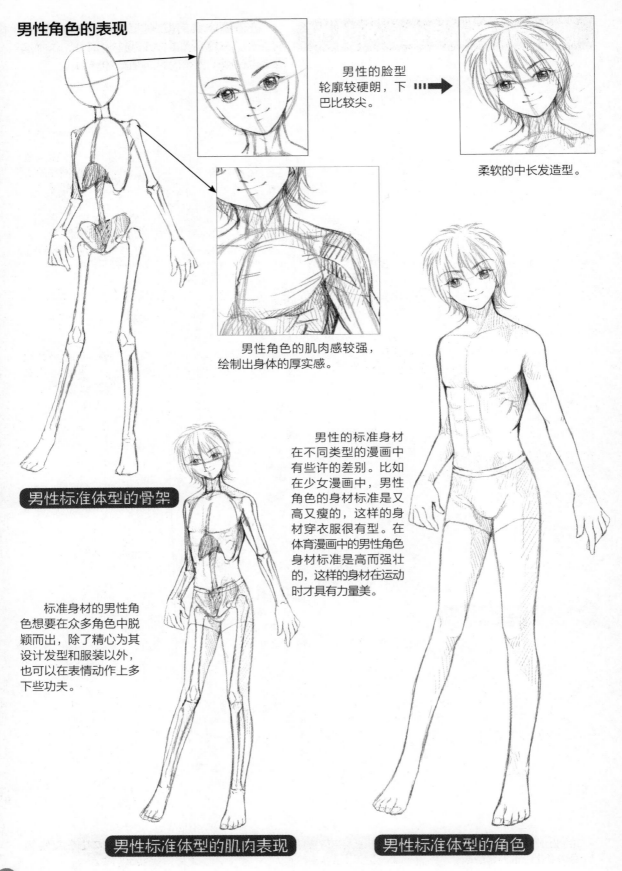

男性的脸型
轮廓较硬朗，下
巴比较尖。

柔软的中长发造型。

男性角色的肌肉感较强，
绘制出身体的厚实感。

男性标准体型的骨架

标准身材的男性角
色想要在众多角色中脱
颖而出，除了精心为其
设计发型和服装以外，
也可以在表情动作上多
下些功夫。

男性的标准身材
在不同类型的漫画中
有些许的差别。比如
在少女漫画中，男性
角色的身材标准是又
高又瘦的，这样的身
材穿衣服很有型。在
体育漫画中的男性角色
身材标准是高而强壮
的，这样的身材在运动
时才具有力量美。

男性标准体型的肌肉表现

男性标准体型的角色

肥胖的角色也有独特的魅力

在漫画中会出现一些体型肥胖的人物角色，他们一般充当着主角的陪衬角色，这样的角色也有别于主角而有着独特的魅力。

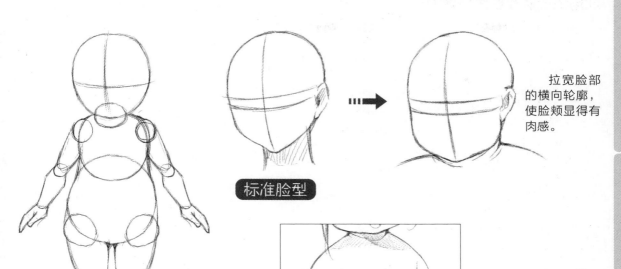

拉宽脸部的横向轮廓，使脸颊显得有肉感。

标准脸型

可以将肥胖角色看作是由圈圈组合而成的。

肥胖角色的身体轮廓起伏小，腰部结构丰满，臀部轮廓也较大。

肥胖体型的身体结构

肥胖角色的绘制

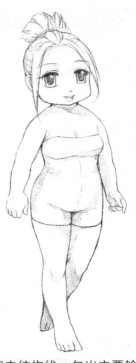

1 绘制出肥胖体型的身体轮廓，身体像是由很多圆组成。

2 勾出人物的皮肤纹理，绘制出发型和五官的轮廓。

3 擦去结构线，勾出主要轮廓线，绘制出阴影。

漫画特有的夸张体型

在设置漫画中的角色的时候，会构思一些夸张的体型来配合角色的身份，接下来就讲解几种夸张体型的绘制方法。

利用添加法改变角色体型

通过将其他元素加入到肢体当中来让角色更具有特点，一般身体的身材不变，只是改变肢体结构。

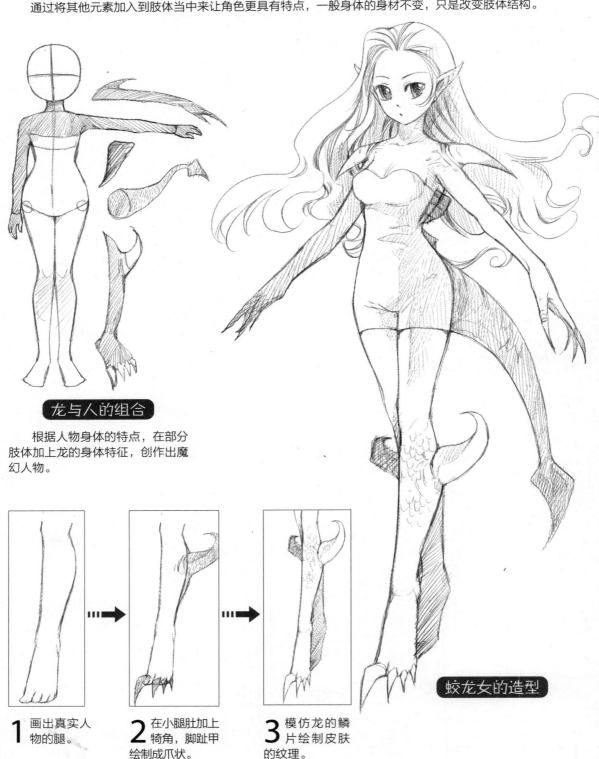

龙与人的组合

根据人物身体的特点，在部分肢体加上龙的身体特征，创作出魔幻人物。

蛟龙女的造型

1 画出真实人物的腿。

2 在小腿肚加上犄角，脚趾甲绘制成爪状。

3 模仿龙的鳞片绘制皮肤的纹理。

利用替换法改变角色体型

用动物的肢体来替代人物的部分肢体来创造出新角色，一般情况下是替换下半身结构。

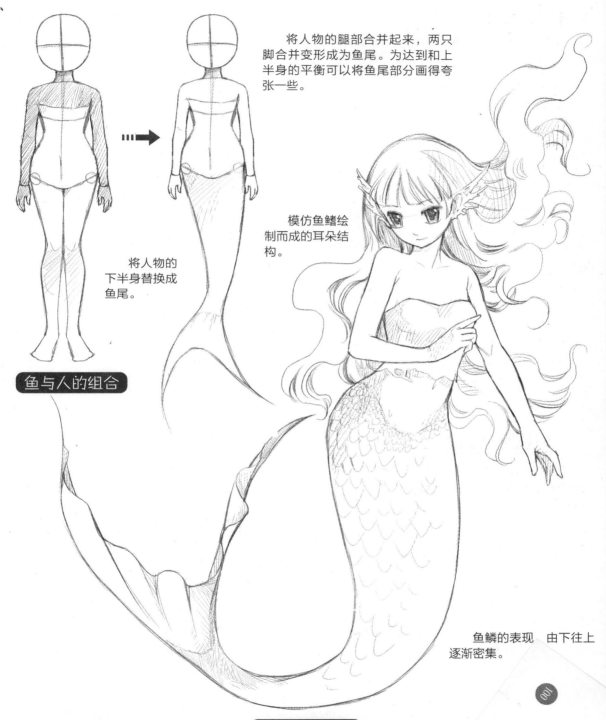

将人物的腿部合并起来，两只脚合并变形成为鱼尾。为达到和上半身的平衡可以将鱼尾部分画得夸张一些。

模仿鱼鳍绘制而成的耳朵结构。

将人物的下半身替换成鱼尾。

鱼与人的组合

鱼鳞的表现　由下往上逐渐密集。

美人鱼的造型

美人鱼的整体要表现得有曲线美。上半身是正常的人类身体，用正常的动作就?半身的鱼尾部分，这部分可能像两条腿站立的人那样，那样处理会显得美人鱼?动态时，可以通过观察鱼在水中的动作来绘制。

利用身体的变形改变角色形体

通过改变身体的肢体形状来让人物的外形改变，多用于表现体态怪异的角色。

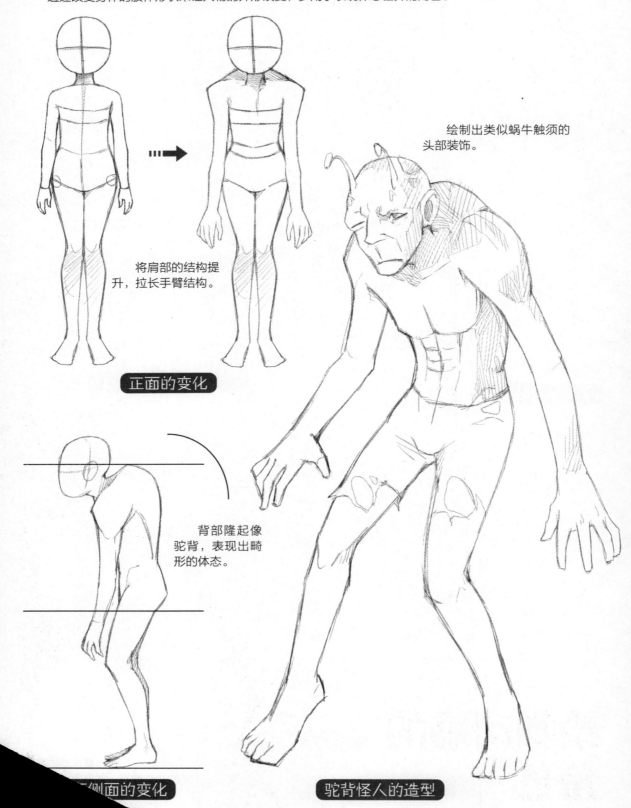

将肩部的结构提升，拉长手臂结构。

正面的变化

绘制出类似蜗牛触须的头部装饰。

背部隆起像驼背，表现出畸形的体态。

侧面的变化

驼背怪人的造型

第5章

角色的表现需要富有存在感的动态来
表现。关节和肌肉的运动使身体能够变换姿
态，在不同角色的设定上也需要通过特有的
动作来表现，表现出其独特的性格和身份。

绘制动感的
角色

角色需要魅力才能赢得读者的心

动作是表现人物外在形象的关键，站在原地不动的呆板姿势会削弱人物魅力，肢体的扭转会表现出人物的曲线美感。

姿势大PK

角色的出场姿势是决定第一印象的亮点，具有活力和代表性的姿势更能够表现角色魅力。接下来看两组美少女的姿势比较，看看姿势的选择对于表现人物的重要性。

人物正面的表现

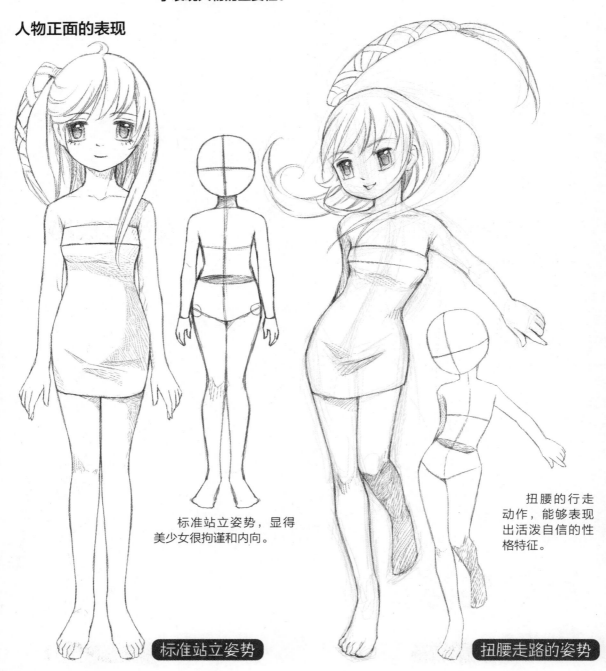

标准站立姿势，显得美少女很拘谨和内向。

扭腰的行走动作，能够表现出活泼自信的性格特征。

标准站立姿势

扭腰走路的姿势

人物背面的表现

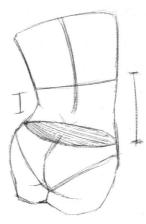

运用腰部的伸缩，微微向背后扭转，显示出身体线条，表现出自信的气势。

呆板的叉腰姿势

自信的叉腰姿势

人物侧面的表现

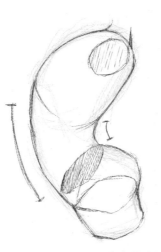

侧面最能体现身体线条，挺胸提臀能够使人物显得挺拔性感。

呆板的侧面站姿

性感的侧面站姿

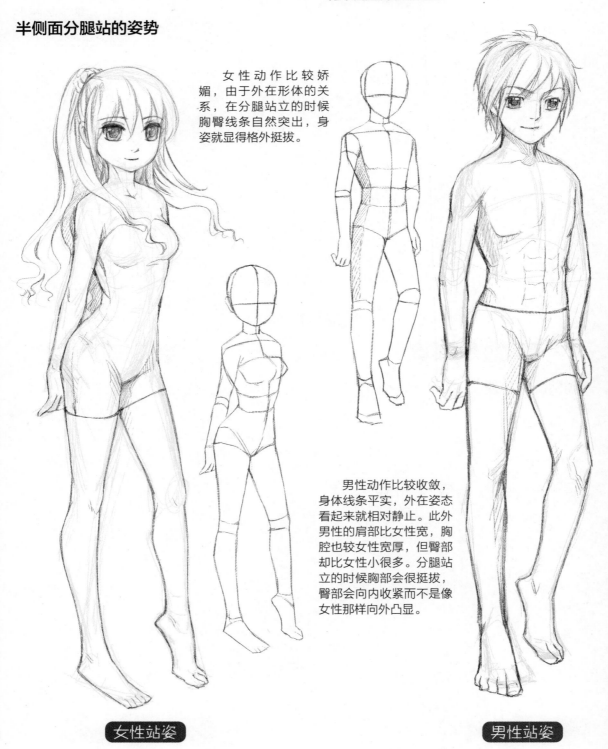

同样的姿势男女是有差别的

同样的姿势放到男性与女性的肢体中去表现，由于男女身体曲线的差异和性格的区别会有不同的外在表现。

半侧面分腿站的姿势

女性动作比较娇媚，由于外在形体的关系，在分腿站立的时候胸臀线条自然突出，身姿就显得格外挺拔。

男性动作比较收敛，身体线条平实，外在姿态看起来就相对静止。此外男性的肩部比女性宽，胸腔也较女性宽厚，但臀部却比女性小很多。分腿站立的时候胸部会很挺拔，臀部会向内收紧而不是像女性那样向外凸显。

女性站姿

男性站姿

惊恐的动作表现

女性在瞬时动作的肢体表现很明显，身体后仰，幅度较大。

男性对于突发情况比较镇定，动作幅度也比较小，身体微微后倾。

5
Chapter
绘制动感的角色

6
Chapter
整体造型是角色吸引人的关键

7
Chapter
非人类角色也能成为漫画的主角

8
Chapter
有魅力的角色才能赢得读者的心

人体的运动规律

身体的运动由每个关节的来调节，在运动的时候关节借助肌肉带动肢体来完成动作，每个部位也有着自己的运动规律。

人体运动示意图解析

人体主要由几个大关节在控制身体的动作，接下来就来看看各个关节的名称。

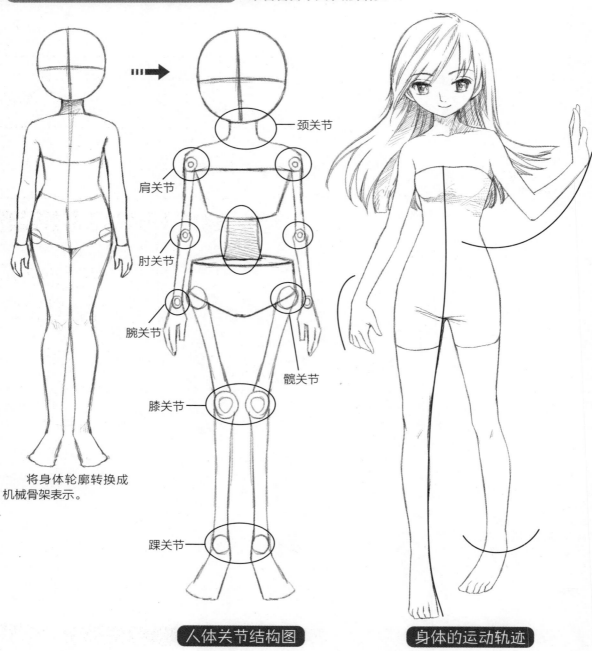

将身体轮廓转换成机械骨架表示。

颈关节

肩关节

肘关节

腕关节

髋关节

膝关节

踝关节

人体关节结构图

身体的运动轨迹

利用弧线描绘运动轨迹

在身体的运动中，每个部位的运动轨迹都可以用一条弧线比拟出来，以关节为圆心，连接部分在运动过程中做类似画圆的运动。

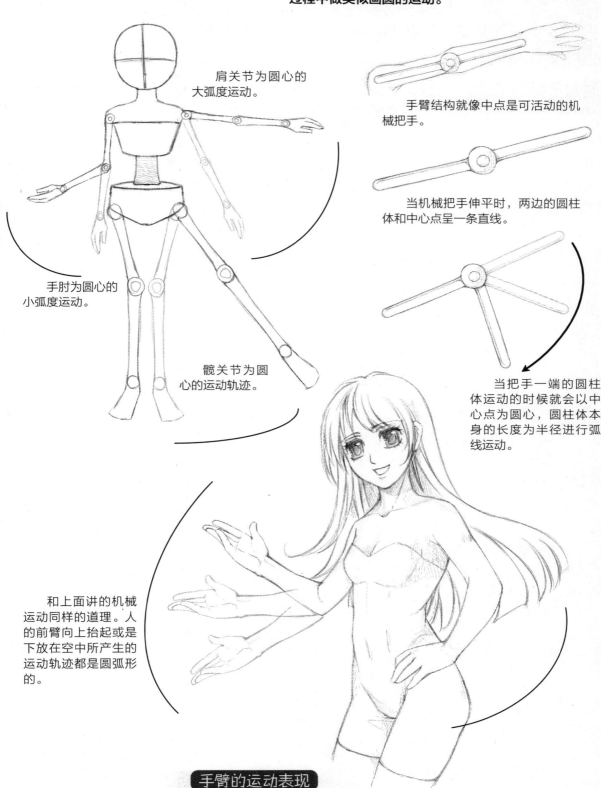

肩关节为圆心的大弧度运动。

手臂结构就像中点是可活动的机械把手。

当机械把手伸平时，两边的圆柱体和中心点呈一条直线。

手肘为圆心的小弧度运动。

髋关节为圆心的运动轨迹。

当把手一端的圆柱体运动的时候就会以中心点为圆心，圆柱体本身的长度为半径进行弧线运动。

和上面讲的机械运动同样的道理。人的前臂向上抬起或是下放在空中所产生的运动轨迹都是圆弧形的。

手臂的运动表现

03 魅力姿势解析

了解了身体的基本运动规律，我们将通过对几个常见动作的特点和绘制技巧的讲解，来让大家学习人物动态的绘制。

站立的姿势

站立是最常见的动态表现，每种站姿都有着各自的外在表现，下面例举单手叉腰的站姿来讲解绘制的技巧。

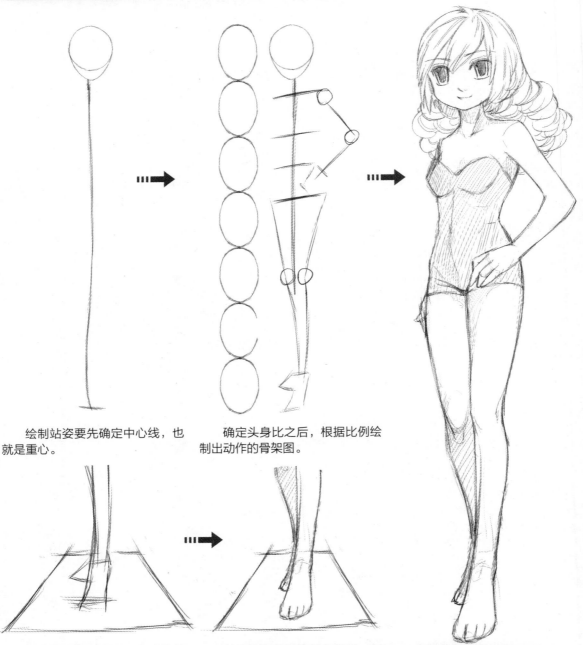

绘制站姿要先确定中心线，也就是重心。

确定头身比之后，根据比例绘制出动作的骨架图。

在绘制脚部的时候，要注意前后的遮挡关系。

前面的脚部结构是完整的，后面的身体结构只能看见部分，需要加上阴影。

单手叉腰的站姿

坐的姿势

坐的姿态大多数时候是改变下半身的动态，上半身的力量都压在臀部上，腿部作为辅助支撑。

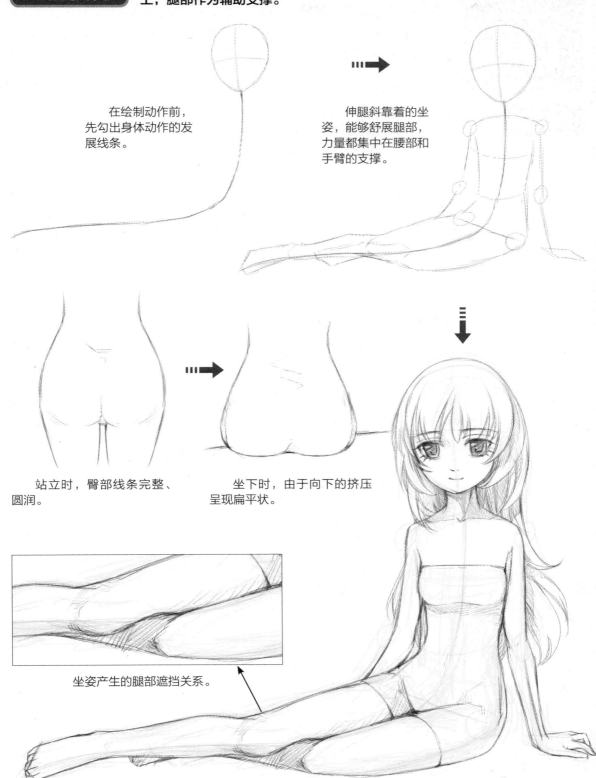

在绘制动作前，先勾出身体动作的发展线条。

伸腿斜靠着的坐姿，能够舒展腿部，力量都集中在腰部和手臂的支撑。

站立时，臀部线条完整、圆润。

坐下时，由于向下的挤压呈现扁平状。

坐姿产生的腿部遮挡关系。

单伸腿斜靠的坐姿

5
Chapter
绘制动感的角色

6
Chapter
整体造型是角色吸引人的关键

7
Chapter
非人类角色也能成为漫画的主角

8
Chapter
有魅力的角色才能赢得读者的心

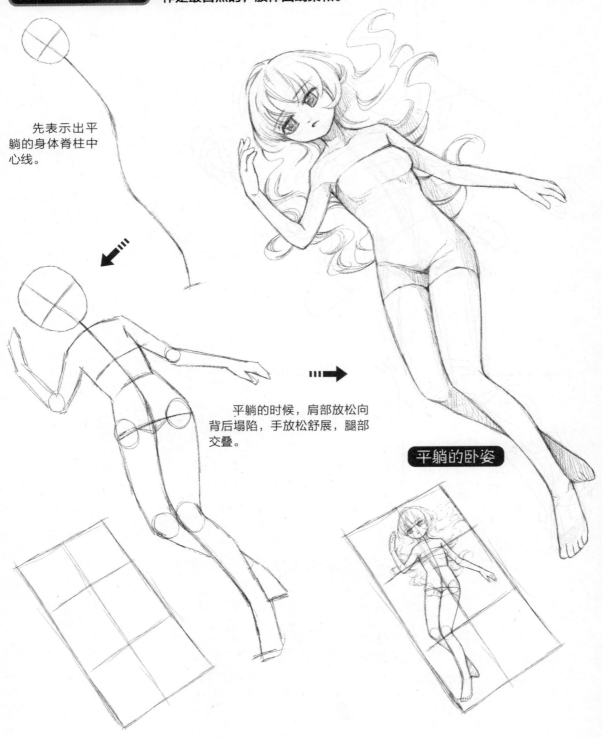

躺卧的姿势

躺卧的姿势是最放松的动作，全身的肌肉都呈现松弛状态，这时的动作是最自然的，肢体曲线柔和。

先表示出平躺的身体脊柱中心线。

平躺的时候，肩部放松向背后塌陷，手放松舒展，腿部交叠。

平躺的卧姿

人物在躺卧的时候，身体的大部分面积是和地面相接触的。如果不能在脑子里纯熟的构架出这样的空间平面的话，可以先画一个地平面后再在上面添加躺卧的人物。

在绘制躺卧的角色的时候，微微倾斜能够使人物的姿态更有魅力。

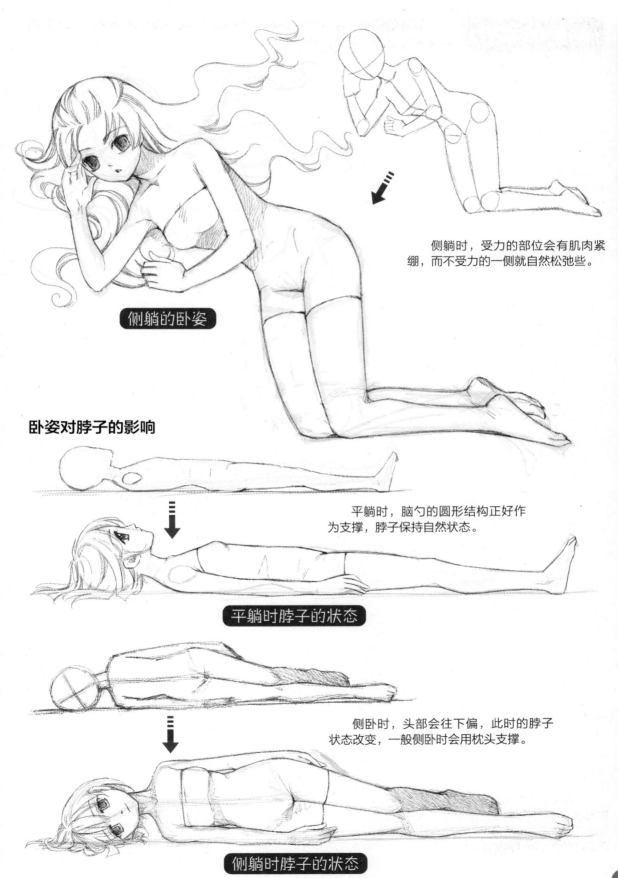

5
Chapter
绘制动感的角色

6
Chapter
整体造型是角色吸引人的关键

7
Chapter
非人类角色也能成为漫画的主角

8
Chapter
有魅力的角色才能紧紧得读者的心

侧躺时,受力的部位会有肌肉紧绷,而不受力的一侧就自然松弛些。

侧躺的卧姿

卧姿对脖子的影响

平躺时,脑勺的圆形结构正好作为支撑,脖子保持自然状态。

平躺时脖子的状态

侧卧时,头部会往下偏,此时的脖子状态改变,一般侧卧时会用枕头支撑。

侧躺时脖子的状态

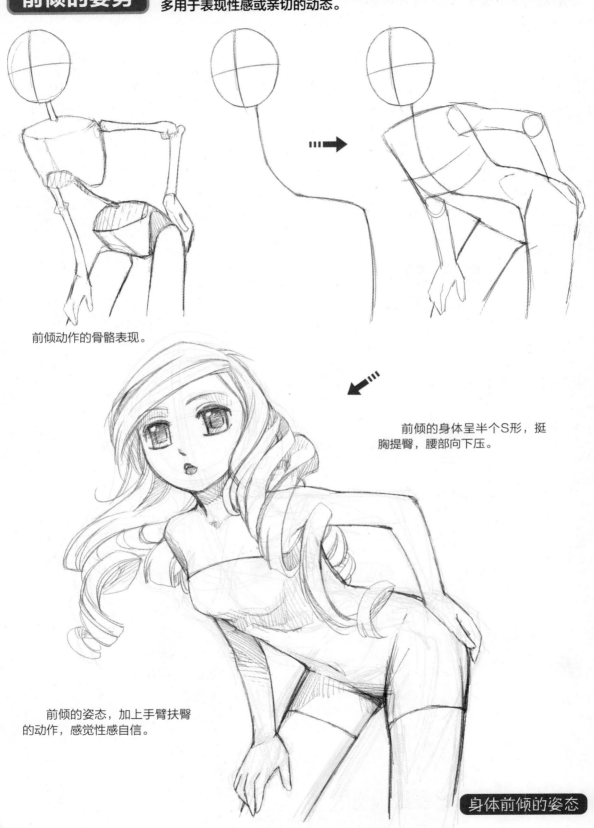

前倾的姿势

身体前倾的动作是由腰部和髋部共同完成的，也需要弯曲脊柱线条，多用于表现性感或亲切的动态。

前倾动作的骨骼表现。

前倾的身体呈半个S形，挺胸提臀，腰部向下压。

前倾的姿态，加上手臂扶臀的动作，感觉性感自信。

身体前倾的姿态

趴伏的姿势

趴伏姿势的受力面在身体的前胸和腹部,女性在做趴伏动作时会改变胸部的状态。

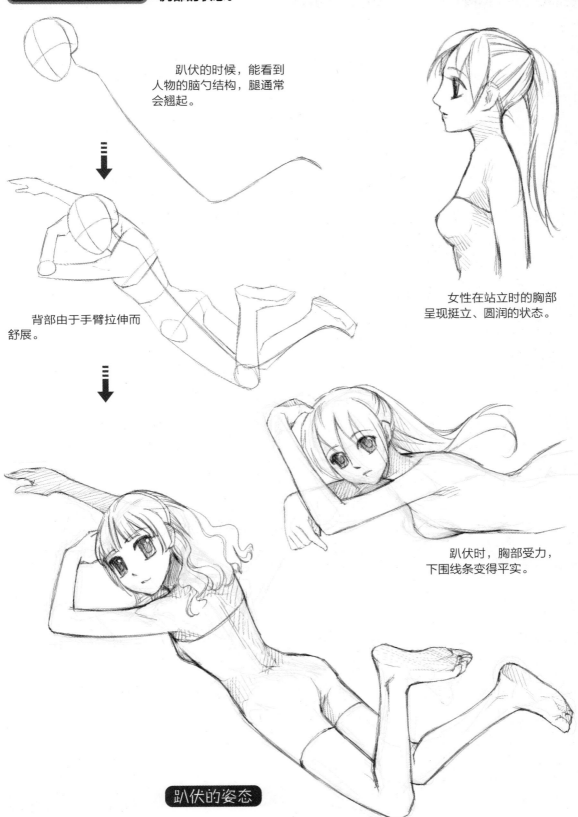

趴伏的时候,能看到人物的脑勺结构,腿通常会翘起。

背部由于手臂拉伸而舒展。

女性在站立时的胸部呈现挺立、圆润的状态。

趴伏时,胸部受力,下围线条变得平实。

趴伏的姿态

5
Chapter
绘制动感的角色

6
Chapter
整体造型是角色吸引人的关键

7
Chapter
非人类角色也能成为漫画的主角

8
Chapter
有魅力的角色才能赢得读者的心

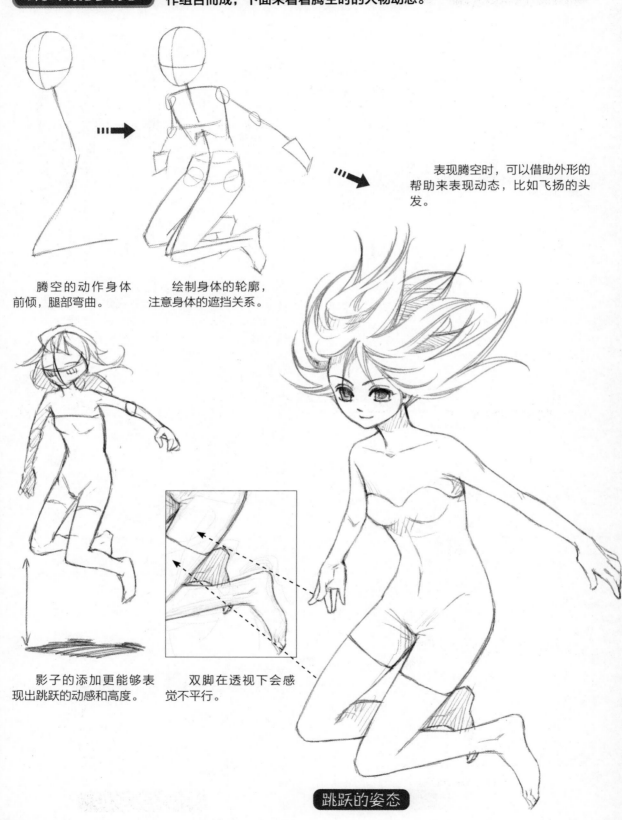

跳跃的姿势

跳跃是一个连续的动作，由下蹲蓄力、蹬地起跳、腾空和下落几个动作组合而成，下面来看看腾空时的人物动态。

表现腾空时，可以借助外形的帮助来表现动态，比如飞扬的头发。

腾空的动作身体前倾，腿部弯曲。

绘制身体的轮廓，注意身体的遮挡关系。

影子的添加更能够表现出跳跃的动感和高度。

双脚在透视下会感觉不平行。

跳跃的姿态

扭转的姿势

扭转是在生活中很常见的小幅度动作，主要是由腰部来做出动作，此时的脊柱线条会产生变化。

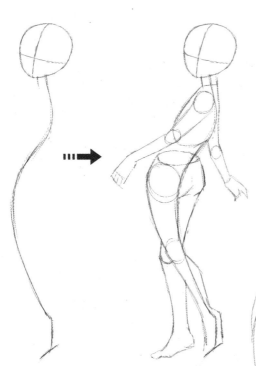

身体扭转时，脊柱线作为此时外形的边缘线。

绘制出身体的轮廓，左侧手脚遮住身体的部分。

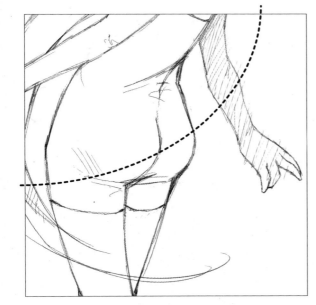

扭转动作的瞬间。

身体扭转的姿态

为角色设计标志性姿势

在进行人物设定的时候，标志性的动作能够让人物的形象与之结合，从而与其他角色区分开来。

总是斜躺懒散的乞丐

在设定乞丐角色的时候，可以运用斜躺、倚靠等表现无力的动作，来体现出懒散的性格。

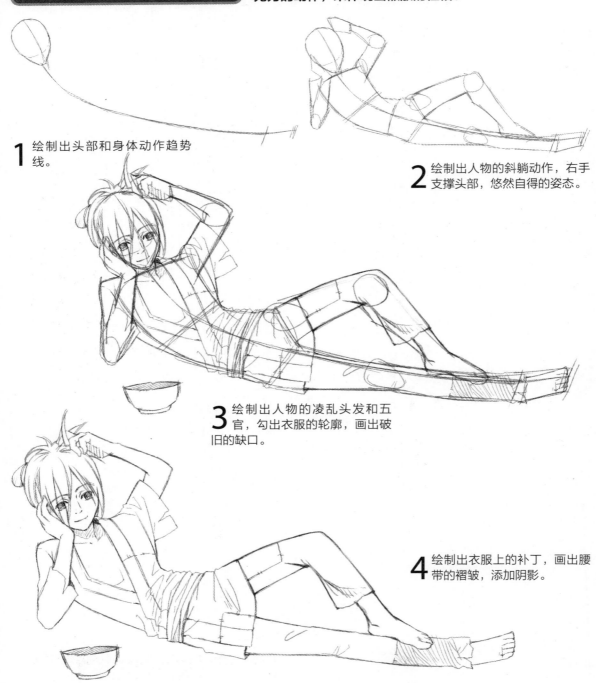

1 绘制出头部和身体动作趋势线。

2 绘制出人物的斜躺动作，右手支撑头部，悠然自得的姿态。

3 绘制出人物的凌乱头发和五官，勾出衣服的轮廓，画出破旧的缺口。

4 绘制出衣服上的补丁，画出腰带的褶皱，添加阴影。

站姿大气威武的将军

将军给人的印象是具有威风凛凛、势不可挡的强大气魄，在表现的时候可以运用夸张的站姿来表现。

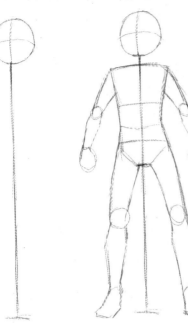

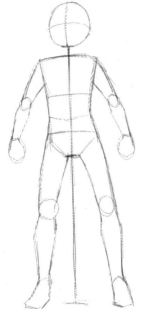

1 绘制出头部和身体的重心线。

2 绘制出人物的站姿，身体微微后仰，分开双腿，双手微微抬起表现出气势。

3 绘制出人物的盔甲轮廓，勾出细节结构，绘制出五官。

4 绘制出盔甲上的装饰花纹，添加阴影表示质感。

屈膝侧坐羞怯的少女

羞怯的少女给人最大的印象就是动作幅度小，有点胆怯、不好意思的外在特点。

1 绘制出人物的头部和身体动作的单结构线。

2 添加出人物的身体轮廓，双腿紧贴，手向身体靠拢，头微微偏着。

3 绘制出人物的帽子与头发，描绘出五官的细节和服饰的轮廓。

4 添加出内衬抹胸衫的花纹，加上光影关系。

第6章

外在的形象不仅仅是单一的面部或者动作吸引人，整体的造型能够给人完整的印象，也能通过服饰的表达让读者直观的了解人物的角色身份。本章例举几种传统服饰以及日常服饰的绘制来让大家了解整体的造型对角色的影响。

整体造型是角色吸引人的关键

Lesson 01 根据角色的时代背景选择适合的装扮

根据角色的不同时代来搭配服饰能够使人物角色的外形更契合剧情所需，这是更好的表现人物形象的重点。

中世纪欧洲

在中世纪宗教的统治下，人们的衣服都相对单调，在设计角色的时候，可以适当添加一些装饰元素。

女性形象的绘制

头上的装饰是由花布做成的，质料很厚，有圆片装饰。

将辫子以下的剩余头发回转到束发的地方，扎起来就美观了。

天鹅绒长裙。

中世纪欧洲的少女造型

带有刺绣花纹的腰带，表现出并非普通家庭的身份。

男性形象的绘制

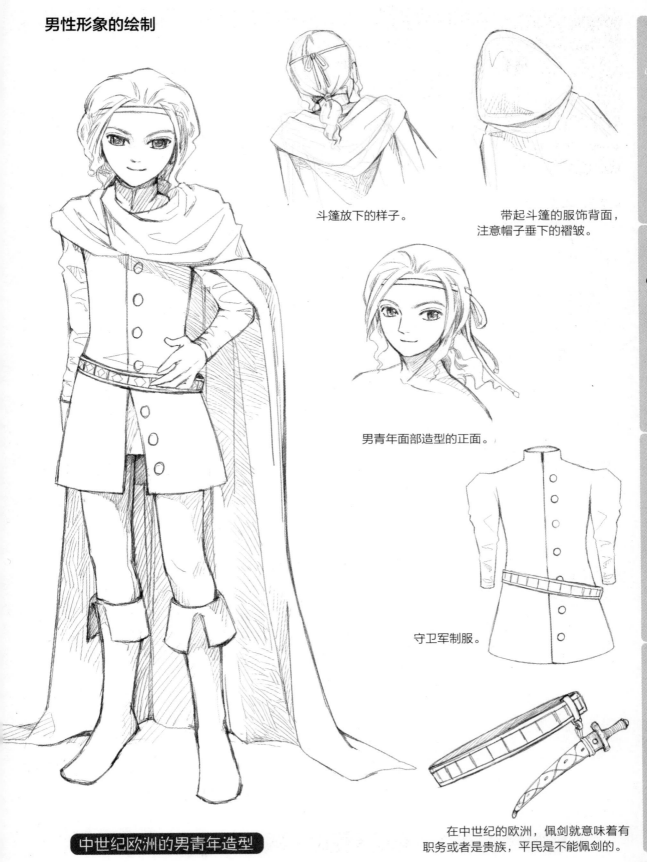

斗篷放下的样子。

带起斗篷的服饰背面，
注意帽子垂下的褶皱。

男青年面部造型的正面。

守卫军制服。

中世纪欧洲的男青年造型

在中世纪的欧洲，佩剑就意味着有
职务或者是贵族，平民是不能佩剑的。

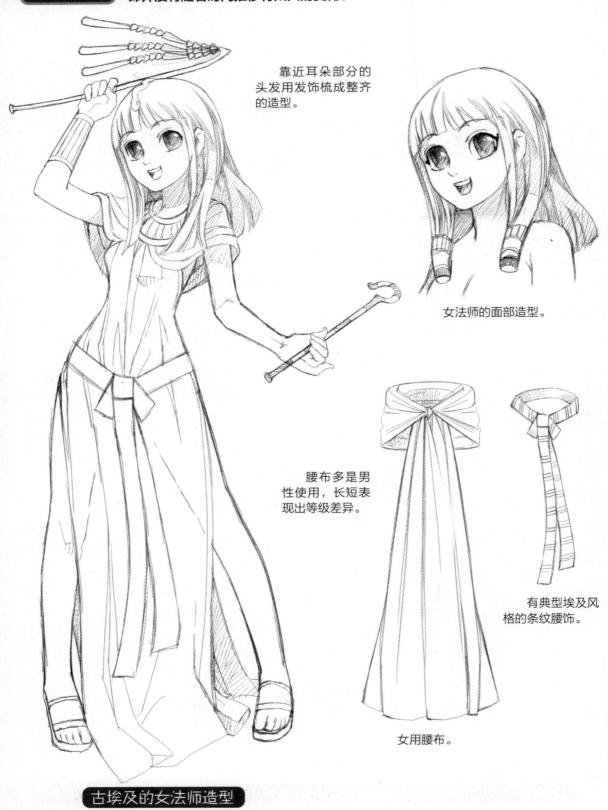

古埃及

傍依着尼罗河的埃及人民，过着平稳安定的生活，由于地理位置的闭塞，服饰并没有随着时间推移有太大的变化。

靠近耳朵部分的头发用发饰梳成整齐的造型。

女法师的面部造型。

腰布多是男性使用，长短表现出等级差异。

有典型埃及风格的条纹腰饰。

女用腰布。

古埃及的女法师造型

男御史的绘制

埃及人会将头发完全剃光，再戴上假发或装饰。

假发的长短表示着等级的划分。

三角剪裁的褶裙。

条纹臂环。

古埃及的御史造型

直筒剪裁的褶裙，注意围布的褶皱绘制。

5
Chapter
绘制动感的角色

6
Chapter
整体造型是角色吸引人的关键

7
Chapter
非人类角色也能成为漫画的主角

8
Chapter
有魅力的角色才能赢得读者的心

中国唐朝

中国古代服装发展到全盛时期，服装款式、色彩、图案等都呈现出前所未有的崭新局面，由于当时的经济十分发达，利用蚕丝织就的轻纱也开始广泛地用于衣服的制作当中。

唐代仕女

唐朝妇女结髻的面部造型。

诃子在衣服里的对襟襦裙。

半臂襦裙。

唐朝仕女造型

唐代男青年

成年后，头发就会梳成发髻。

没有穿褙子的形象。

褙子。

交领汉服，腰前多有一片装饰腰布。

古印度

印度民族服装分为男装和女装。女装礼服通常是裙子和短上衣，男装礼服通常是裹裙和长衬衫。

印度少女

没有披上搭帕的样子。

搭帕围在右肩的式样。

紧身上衣凸显出胸部和腰部的美丽线条。

拖地长裙。

鞋尖翘翘的样子，鞋身还有很多花纹，是手工制作的。

无纱丽的造型。

古印度的少女造型

印度男青年

印度长衫。

长衬衫加上裹裙的搭配。

裹裙的背面。

裹裙是用一根腰带在前面打结固定。有地位的男性腰带在两端结成球形，并饰以精致的刺绣。

古印度的男青年造型

5
Chapter
绘制动感的角色

6
Chapter
整体造型是角色吸引人的关键

7
Chapter
非人类角色也能成为漫画的主角

8
Chapter
有魅力的角色才能赢得读者的心

想象的未来

未来世界的设定能够发挥想象力来创作服饰的类型。大方、简洁的造型是未来服装的流行趋势，那么简洁到极致的服饰又是个什么模样呢？这里例举紧身服装束来讲解未来服饰。

未来少女

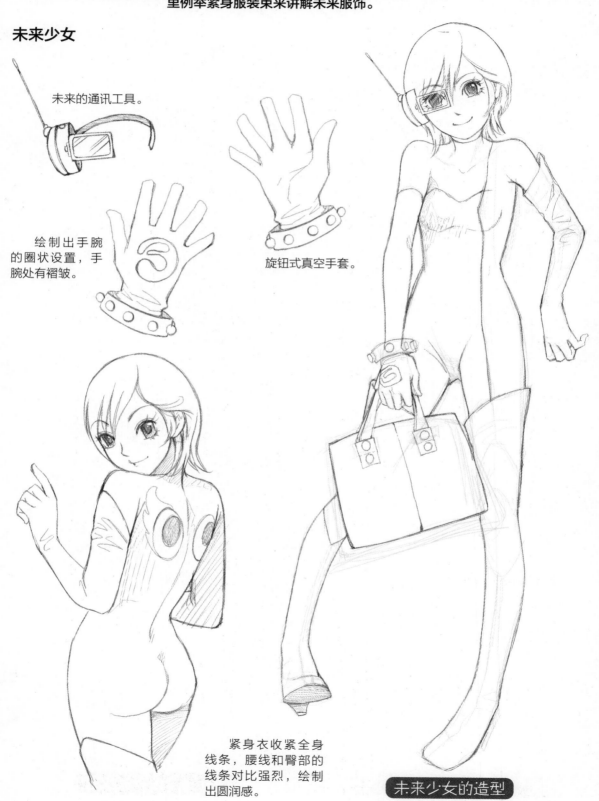

未来的通讯工具。

绘制出手腕的圈状设置，手腕处有褶皱。

旋钮式真空手套。

紧身衣收紧全身线条，腰线和臀部的线条对比强烈，绘制出圆润感。

未来少女的造型

未来少年

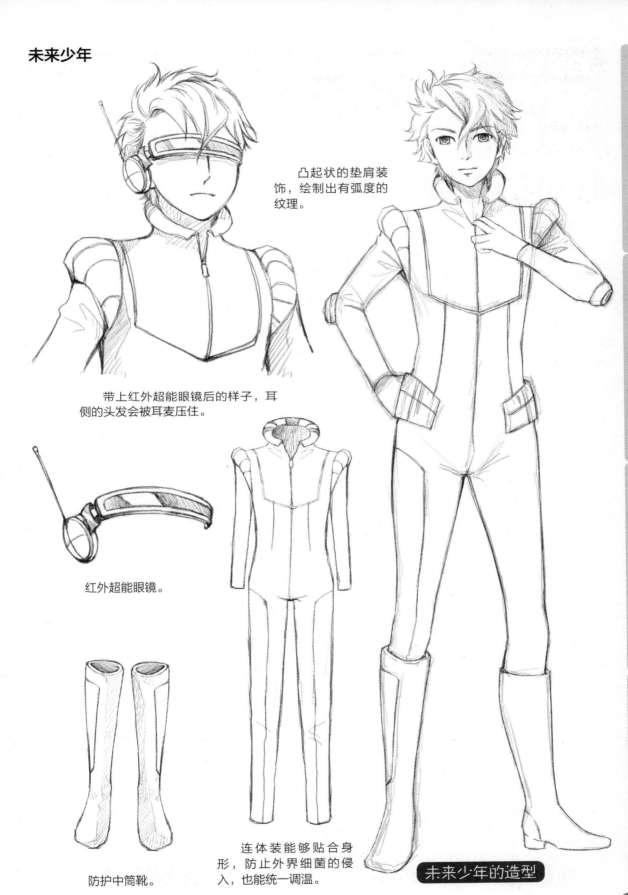

凸起状的垫肩装饰，绘制出有弧度的纹理。

带上红外超能眼镜后的样子，耳侧的头发会被耳麦压住。

红外超能眼镜。

防护中筒靴。

连体装能够贴合身形，防止外界细菌的侵入，也能统一调温。

未来少年的造型

通过服装来塑造角色的身份

要体现角色的身份和背景可以借助服饰类型的选择，接下来讲解几种不同身份的角色的服装绘制。

职业化服装造型

有职业设定的服装能够让人在第一时间反应出与此相关的关键词，从而辨别不同职业的角色。

树叶衣领设计的西装。树叶衣领的设计能够中和职业服装的严肃感觉。

窄腰一步裙。

通勤鞋要选择中等鞋跟的高跟鞋，能够提升气质，穿起来也不会感觉累。

收腰的西装能够使身体线条显得挺拔。

办公室职员造型

不同职业的服装表现

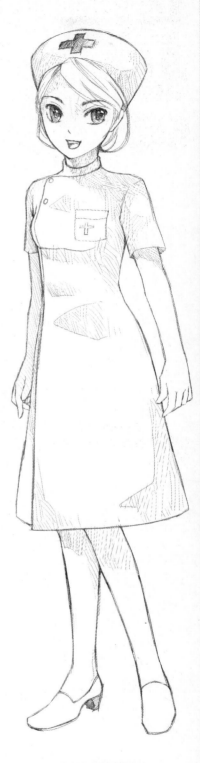

咖啡店或蛋糕店店员

选择外形甜美的女仆装能够让人感觉亲近。

健身俱乐部教练

舒适干练的运动装，能够让人瞬间感觉到活力。

医院护士

红十字和护士服让职业辨识度很明显。

校园化服装造型

学校中常常会要求穿统一的校服，而不同的角色也需要搭配合适的校服款式，例如小学生要穿可爱的水手服，中学生穿着漂亮的格子短裙，大学生穿西装套裙。

女生校服

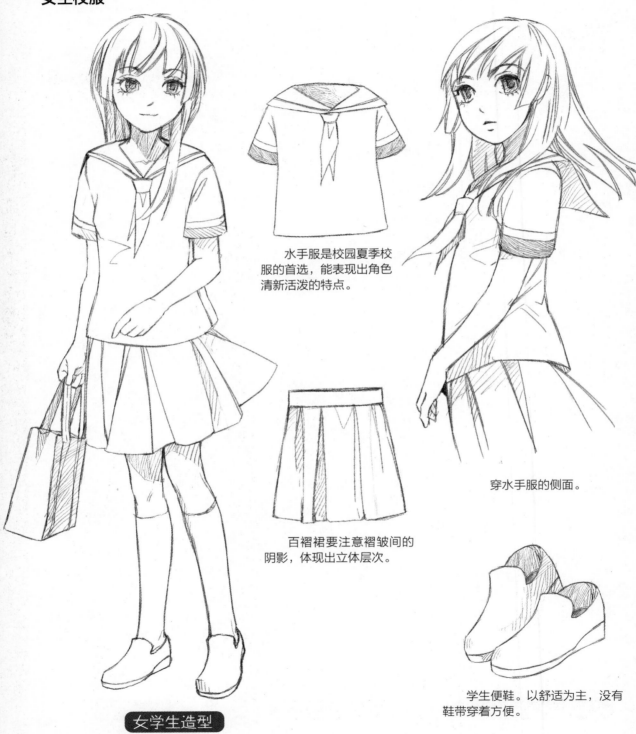

水手服是校园夏季校服的首选，能表现出角色清新活泼的特点。

百褶裙要注意褶皱间的阴影，体现出立体层次。

穿水手服的侧面。

学生便鞋。以舒适为主，没有鞋带穿着方便。

女学生造型

男生校服

西装款式的校服，是比较正式的校服类型，能体现出男孩子的优雅气质。

西服样式的男性校服。

及踝皮鞋，在脚踝处收口的皮鞋，能够在下蹲使西裤上拉时，不露出袜子。

男学生造型

敞开校服的造型

生活化服装造型

在生活当中的服装造型比较休闲，也不会有太多选择上的顾虑，一般是在休闲或者居家时穿。当然穿着漂亮是必须的要素哦！

女生休闲服

下摆是雪纺质料的花瓣设计，搭配腰间蝴蝶结，表现出自然的青春气息。

素色打底裤。

素小牛皮面拖鞋。

女生休闲服造型

男生休闲服

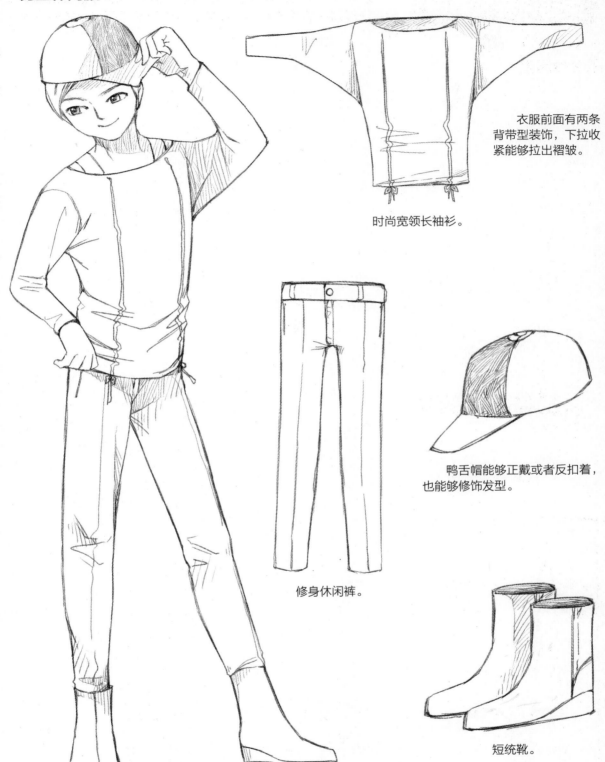

衣服前面有两条背带型装饰，下拉收紧能够拉出褶皱。

时尚宽领长袖衫。

修身休闲裤。

鸭舌帽能够正戴或者反扣着，也能够修饰发型。

短统靴。

男生休闲服造型

不同休闲服的表现

混搭风男装

戴上圆顶礼帽和有绒毛的夹克搭配，很有独特的时尚感。

柔软打底裤搭配

各种花纹的贴身打底裤，能够配合宽大的上衣，能做内衬，也可以直接外穿。

休闲淑女装

柔软质地的衬衫和及膝裙，带有蝴蝶结的皮鞋都透出柔和的气息。

舞台、戏剧化服装造型

在舞台上表演时，对服饰的要求不同于平日的职业装或者休闲装，精致、华丽和夸张是主要元素，这样的设计是为了要让观众更容易记住角色形象。

舞台剧女演员

羽毛头饰。为了达到华丽的舞台效果，用彩色羽毛制成的头箍。

碎水晶项链。水晶碎颗粒串成的链子，在灯光的照射下熠熠生辉。

西部侠盗女郎的演出服。

镂空的舞蹈中跟鞋，能够让演员的身姿更挺拔。

舞台剧女演员的造型

5
Chapter
绘制动感的角色

6
Chapter
整体造型是角色吸引人的关键

7
Chapter
非人类角色也能成为漫画的主角

8
Chapter
有魅力的角色才能抓得住读者的心

皮质短袖衫。肩上的夸张肩章像两片领口，舞台装饰性很强。

圆铆钉宽皮带。宽幅的腰带能够体现人物的腰部线条，也能突出身上的装饰亮点。

牛仔系的腿饰，下摆是碎穗，表现出颓废之感。

紧身裤。

摇滚男歌手的造型

低跟及踝靴。

其他演出服的造型

5
Chapter
绘制动感的角色

6
Chapter
整体造型是角色吸引人的关键

7
Chapter
非人类角色也能成为漫画的主角

8
Chapter
有魅力的角色才能赢得读者的心

欧式宫廷歌剧演员的造型

华丽的布艺花卉修饰，能够突显出人物的风情。

森巴歌手的造型

蓬松的绒毛领和流苏装饰体现出森巴的热情四射。

根据故事要求设定造型

角色造型的设定需要根据故事的要求做出相应的表现，根据故事的主题搜集与之相关的可用元素，经典和有代表性的元素能更好的表现剧情和角色。下面例举3种故事类型做讲解。

神话故事造型

关于神话故事的素材，能够从佛或者各类神话人物中去找可用元素，在这里运用了佛螺髻发和白毫这两种经典元素，而女神的身材设定的是标准的匀称身材，表现出柔和之美。

女神头部的绘制流程

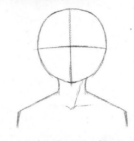

1 绘制出人物的头部轮廓，脸型偏圆。

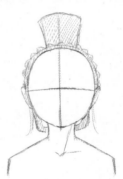

2 画出头发的花边外沿轮廓，用梯形表现发髻轮廓。

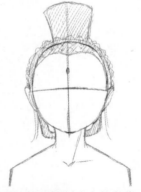

3 用螺旋纹绘制头上的发卷，绘制出前额的发际线，点出眉心的白毫。

4 画出人物的五官，绘制出发髻和盘起的尾发。

女神的标准体型

女神头部的侧面

女神发型的背面

女神的绘制方法

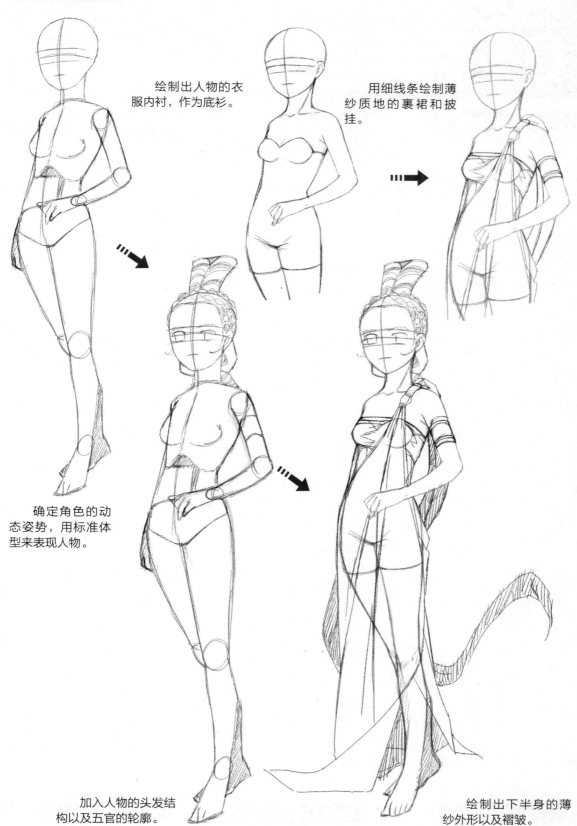

绘制出人物的衣服内衬，作为底衫。

用细线条绘制薄纱质地的裹裙和披挂。

确定角色的动态姿势，用标准体型来表现人物。

加入人物的头发结构以及五官的轮廓。

绘制出下半身的薄纱外形以及褶皱。

给角色加上五官的细节，表现出服饰的部分阴影。

在薄纱与皮肤重叠的外轮廓，加重线条表现立体感，绘制出臂环的雕花，阴影线是斜排线。

女神的整体造型

武侠故事造型

武侠故事的人物设定可以参考一些经典的武侠名著，在服装上要表现出侠士的潇洒与俏丽，接下来讲解小侠女的角色造型。

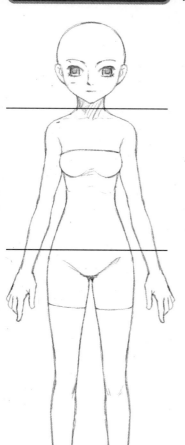

眉毛微挑，眼睛是可爱的圆眼睛，表现出聪敏的外表。

侠女头部的侧面

设定出娇小身形来表现人物的俏皮和机灵。

侠女的娇小·体型

侠女发型的背面

侠女头部的绘制流程

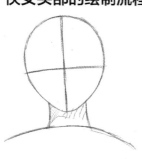

1 绘制出人物的三角脸轮廓。

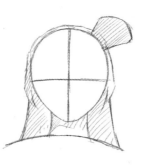

2 画出头发的外部基本形状。

3 绘制出长短不一的刘海轮廓。

4 绘制出人物的五官，勾出人物的头发纹理。

侠女的绘制方法

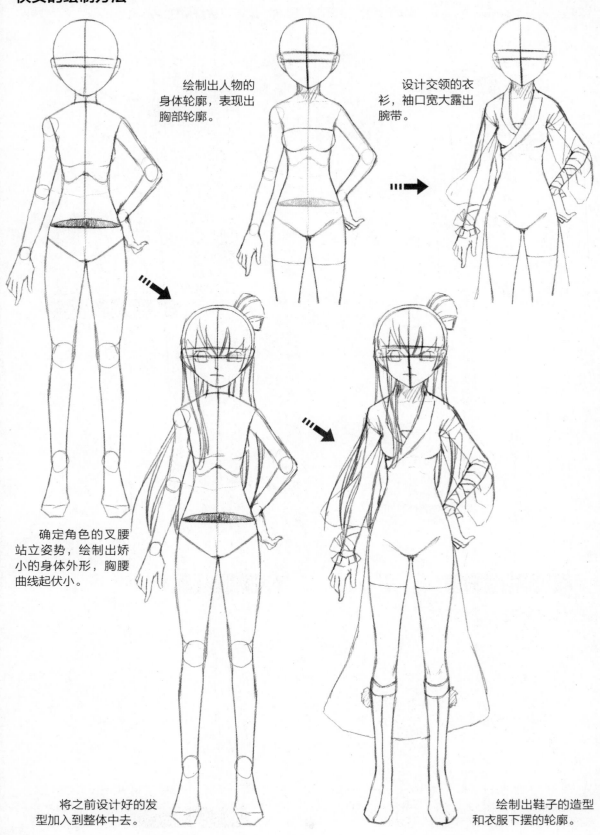

绘制出人物的
身体轮廓，表现出
胸部轮廓。

设计交领的衣
衫，袖口宽大露出
腕带。

确定角色的叉腰
站立姿势，绘制出娇
小的身体外形，胸腰
曲线起伏小。

将之前设计好的发
型加入到整体中去。

绘制出鞋子的造型
和衣服下摆的轮廓。

绘制出轻薄的
褶裙下摆，在身前
交叠的样式能表现
出青春气息。

圆形腰封的边缘是条形花纹，突出中间的圆
点花纹，形成对比，让装饰更有华丽质感。

侠女的整体造型

5
Chapter
绘制动感的角色

6
Chapter
整体造型是角色吸引人的关键

7
Chapter
非人类角色也能成为漫画的主角

8
Chapter
有魅力的角色才能赢得读者的心

魔幻故事造型

魔幻故事的角色设定能够将人物进行一些不可思议造型变化，在这里就将人物的头发改变为羽毛的造型，以此来表现好斗鹰少女的形象。

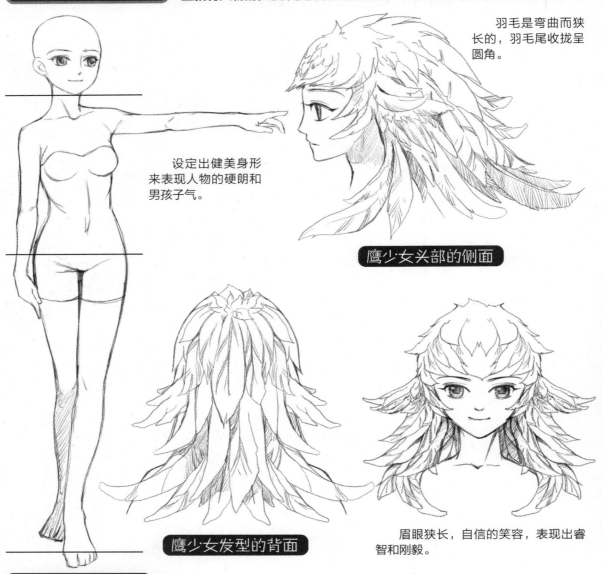

设定出健美身形来表现人物的硬朗和男孩子气。

羽毛是弯曲而狭长的，羽毛尾收拢呈圆角。

鹰少女头部的侧面

鹰少女发型的背面

眉眼狭长，自信的笑容，表现出睿智和刚毅。

鹰少女的健美体型

鹰少女头部的绘制流程

1 绘制出人物的鹅蛋脸轮廓。

2 画出头发的整体形状，由弧线组成的尖角。

3 画出向中间聚拢的刘海。

4 根据羽毛的特性绘制出整体造型。

鹰少女的绘制方法

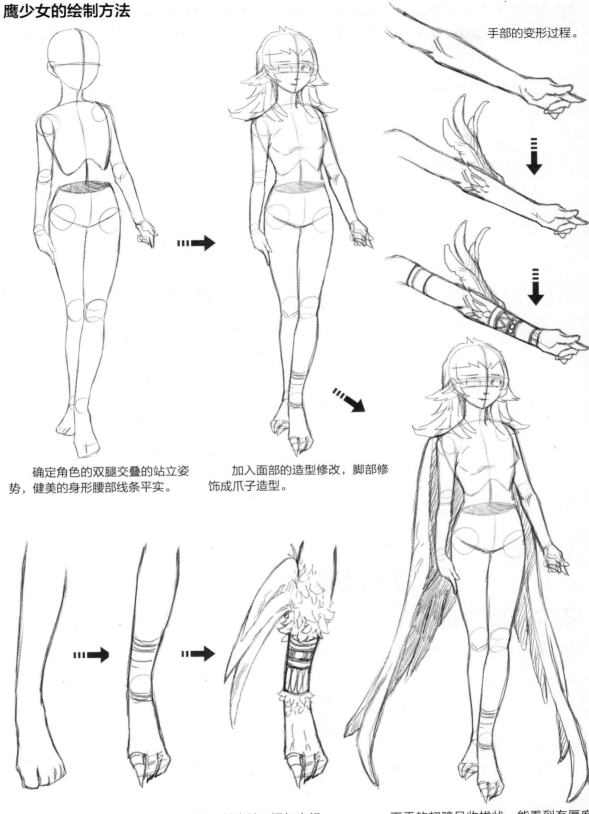

手部的变形过程。

确定角色的双腿交叠的站立姿势，健美的身形腰部线条平实。

加入面部的造型修改，脚部修饰成爪子造型。

将脚的前端修饰成三角状，分出三根脚趾，添加出翅膀和丰厚的小羽毛。

下垂的翅膀呈收拢状，能看到有厚度的侧面。

6 Chapter 整体造型是角色吸引人的关键

7 Chapter 非人类角色也能成为漫画的主角

8 Chapter 有魅力的角色才能赢得读者的心

绘制出下半身的围布，双腿的护甲分开围布，看起来像裤子结构。

绘制出上半身的胸甲，胸甲是坚硬的金属，周围有柔软的皮毛装饰。

鹰少女的整体造型

非人类的角色常常出现在魔幻类漫画题材中，它们和人类角色一样很受欢迎，其中包括动物或者半兽人、自然元素拟人等等。本章讲解动物的基本绘制方法，并且会扩展知识来绘制生物拟人，来让角色的类型更加丰富。

非人类角色也能成为漫画的主角

可爱的动物也能做主角

在漫画当中会出现一些以动物视角为主题的故事，在创作动物角色之前，先来了解一下动物角色的表现方法。

描绘动物角色的小技巧

在绘制动物之前，来了解一下动物与人物之间的相似之处，看看通过变形从人物变成动物外形的过程。

人与动物的骨骼有相似之处

可以通过寻找人与动物骨骼之间的共同点来加深对动物骨骼的认识，这对后面的学习很有帮助。

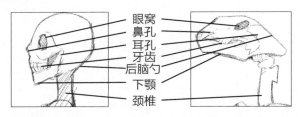

眼窝
鼻孔
耳孔
牙齿
后脑勺
下颚
颈椎

通过对比可以得出：人类的头骨和狮子的头骨仅仅是形状有所差异。两者在五官位置的分布和其功能上惊人的一致。

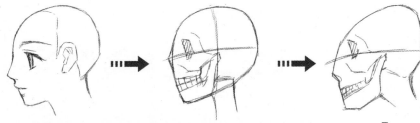

将圆润的后枕骨上拉变细、夸张下颚的形状、移动眼睛和耳朵的位置，就可以将人类的头骨变形成狮子的头骨。

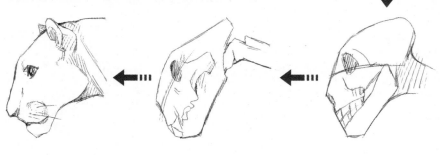

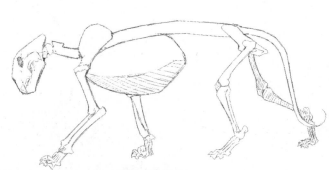

将人类和狮子的头骨变形过程不断的在脑中重播，就能很快的熟悉人类头骨和狮子头骨的共同点和不同点。坚持练习就能提升自己的造型能力。

人类的骨骼

狮子的骨骼

从骨骼到肌肉再到皮毛是描绘动物的基本方法

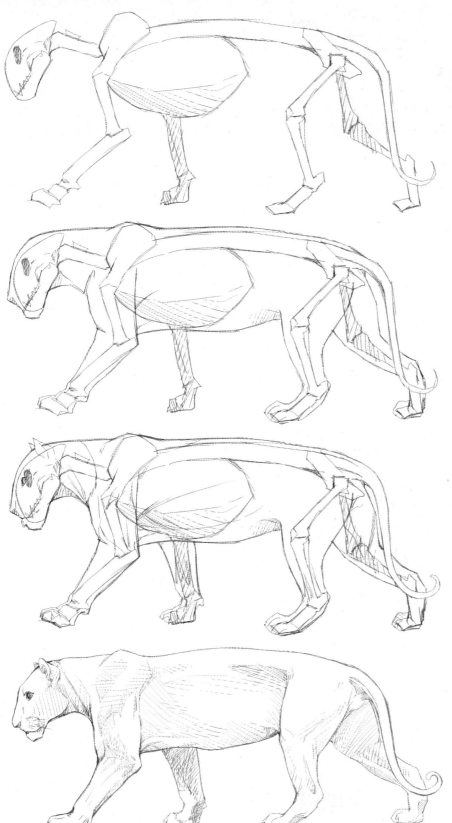

1 绘制出狮子的骨骼，这是绘制动物的第一步，动作类似人物弓背四脚着地行走的样子。

2 画出狮子的身体轮廓，头部肌肉较少，大腿的肌肉线条突出，到小腿就逐渐减弱。

3 绘制出狮子的耳朵，加强身体的肌肉线条，画出突出的下巴和爪子的分趾结构。

4 绘制出狮子的五官，勾出身体的轮廓，用斜排线绘制出身体的阴影来表现皮毛。

描绘动物更简单的方法

1 绘制出动物的头部和脊柱线。

2 用椭圆形表示身体的胸腹部。

3 加上动物的四肢结构，腿部有肌肉凸起，水獭雏形出现。

4 绘制出水獭的皮毛质感和五官的结构。

1 绘制出鸟的身体几何结构，用弧线表现出翅膀的骨架。

2 绘制出身体和翅膀的轮廓，加上腿根和爪子结构，秃鹰的雏形出现。

3 绘制出狭长的羽翼和翅膀根部的圆形羽毛，画出秃鹰的头部，绘制爪子的细节。

有趣的动物拟人化

动物和人物之间有着微妙的联系，可以通过对动物的身型变化，或者将动物的特点加入到人物形体中以塑造出新的角色，这样的角色又叫做动物的拟人化。

将人物表情加入到动物中

猫的原型

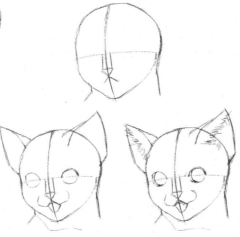

行为模式像人的拟人方法，是将人物的特性融入到动物中去，比如表情和肢体。

加入人物表情的猫咪头部表现。

各种表情的表现

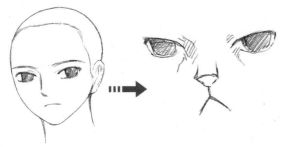

严肃的五官表现，将人物的眼线加重，绘制出眼睑下垂，呈三角形的猫咪嘴。

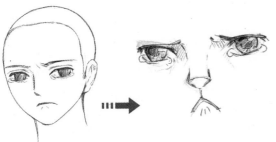

悲伤的五官表现，眼线加重绘制出眼角下垂的眼睛轮廓，绘制出泪珠，嘴巴下方表现出撇嘴的皱纹。

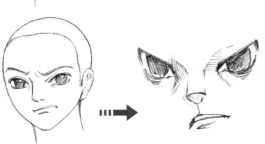

愤怒的五官表现，眼线挑起，眼角是尖尖的，绘制出内眼角下的肌肉凸起，绘制出嘴角下垂的小嘴。

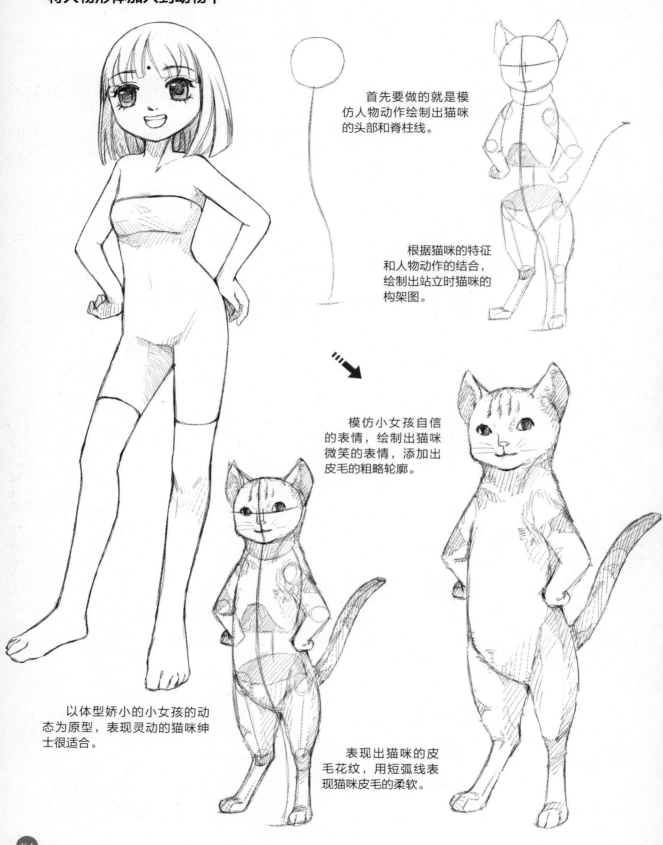

将人物形体加入到动物中

首先要做的就是模仿人物动作绘制出猫咪的头部和脊柱线。

根据猫咪的特征和人物动作的结合，绘制出站立时猫咪的构架图。

模仿小女孩自信的表情，绘制出猫咪微笑的表情，添加出皮毛的粗略轮廓。

以体型娇小的小女孩的动态为原型，表现灵动的猫咪绅士很适合。

表现出猫咪的皮毛花纹，用短弧线表现猫咪皮毛的柔软。

可以在绘制好身体
结构轮廓时加上服饰的
轮廓。

在绘制动物服饰的时
候，可以简化一些褶皱，
让动物身形线条的表现更
简洁。

从猫咪绅士的侧面，可
以看出与人物不同的是，背
部的曲线并不明显，表现出
了动物较笔直的背部特点。

5
Chapter
绘制动感的角色

6
Chapter
整体造型是角色吸引人的关键

7
Chapter
非人类角色也能成为漫画的主角

8
Chapter
有魅力的角色才能赢得读者的心

将动物特点安放于人物上

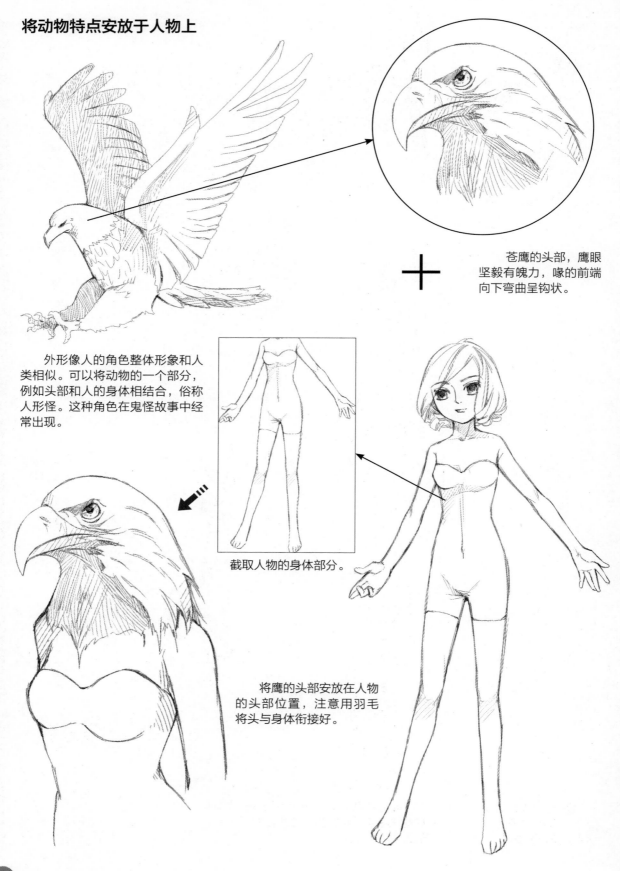

苍鹰的头部，鹰眼坚毅有魄力，喙的前端向下弯曲呈钩状。

外形像人的角色整体形象和人类相似。可以将动物的一个部分，例如头部和人的身体相结合，俗称人形怪。这种角色在鬼怪故事中经常出现。

截取人物的身体部分。

将鹰的头部安放在人物的头部位置，注意用羽毛将头与身体衔接好。

模仿埃及王后的头饰，
为鹰头加上装饰。

确定人物的动作
姿态，双手放于身体
两侧，身姿挺拔。

神秘的鹰头人，为其设计不对
称的抹胸裙，手指修改成类似鹰爪
的外形。

根据苍鹰的翅膀特点，绘
制由圆羽毛到狭长羽毛的羽
翼。

5
Chapter
绘制动感的角色

6
Chapter
整体造型是角色吸引人的关键

7
Chapter
非人类角色也能成为漫画的主角

8
Chapter
有魅力的角色才能赢得读者的心

组合人与动物的特点

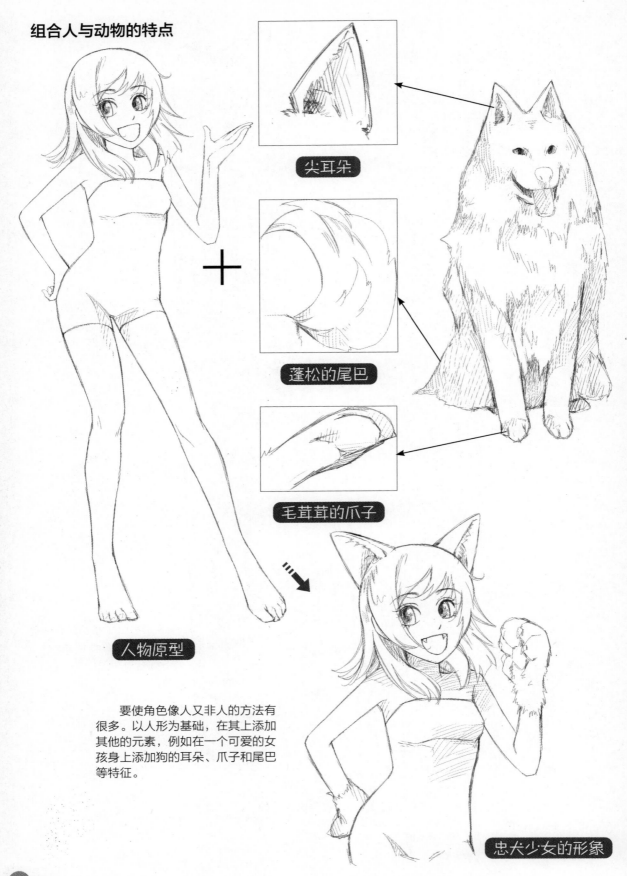

尖耳朵

蓬松的尾巴

毛茸茸的爪子

+

人物原型

要使角色像人又非人的方法有很多。以人形为基础，在其上添加其他的元素，例如在一个可爱的女孩身上添加狗的耳朵、爪子和尾巴等特征。

忠犬少女的形象

为活泼的忠犬少女设定一个伸展动态，左手搭在头顶，左脚翘起。

在关节处绘制出皮毛结构，体现动物特点与人的肢体的结合。

绘制出简单的连衣裙，加上有毛茸茸质感的袜套轮廓，这能很好的表现犬类的特点。

Lesson 02 特殊角色

设定一些特殊角色的时候，需要灵活的运用之前的几种拟人方法，把握动物与人的身体间的联系和可置换的部分，绘制出具有特殊魅力的角色。

画出具有威慑力的脸

想要创作出具有威慑力的面部，需要了解与这一特性有关的表现关键。选择给人有魄力的外在感官的动物作为参考，将这些元素融入到角色表现中去。

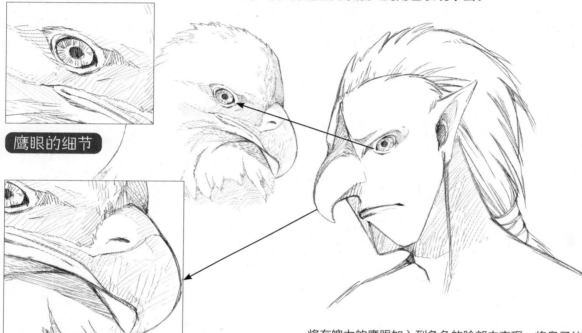

鹰眼的细节

坚硬的弯钩喙

将有魄力的鹰眼加入到角色的脸部去表现，将鼻子的外形融入到鹰钩鼻的表现中去。

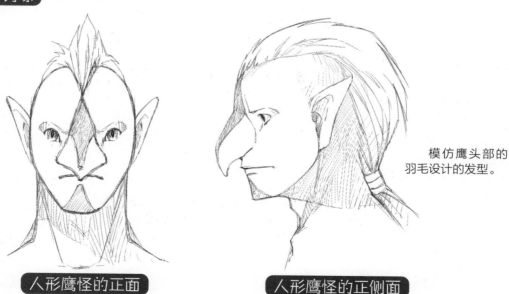

模仿鹰头部的羽毛设计的发型。

人形鹰怪的正面

人形鹰怪的正侧面

设计一张狮妖的面部造型

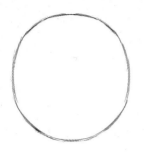

1 绘制出圆形的头颅轮廓。

2 绘制出下巴结构和耳朵结构,画出十字基准线,确定视线位置。

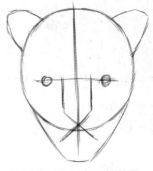

3 绘制出眼睛与鼻子的位置。

4 画出鬃毛的轮廓,绘制出眉骨和嘴巴部分。

5 绘制出鬃毛,加强眼睛的细节,勾出鼻子的外形和嘴巴上的胡须。

6 绘制出耳朵上的绒毛,擦去草稿线,圆润化唇角,狮子头部完成。

在狮子面部加入人类的元素,让他既像狮子又像人。

可以将狮子面部的上下两个部分进行变形,保留中间狮子最有特点的部分。

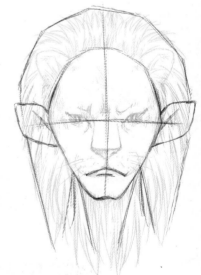

修改狮妖面部

1 将鬃毛绘制成有层次的头发结构，在脸部两侧绘制出狮耳。

2 绘制出头发发尾的金属发饰，画出耳朵上的耳环。

3 绘制出头发的纹理，勾出五官和胡须的细节。

眼睛和鼻子继续沿用了狮子的特征，表现出威严与魄力。

前发直立加上发尾梳成辫子的发型能表现出原始部落的野性和勇猛。

狮妖的正面

狮妖的正侧面

162

充满想象力的体格

除开之前说的拟人替换方法之外，还能将动物的躯体特征直接与人物结合起来，利用想象力创作出新的漫画角色。

通过动物形体来联想

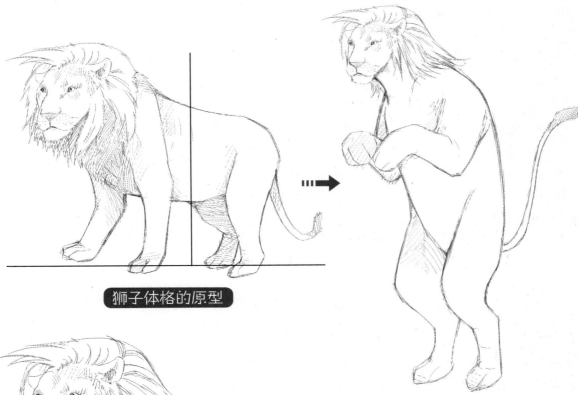

狮子体格的原型

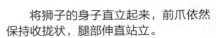

将狮子的身子直立起来，前爪依然保持收拢状，腿部伸直站立。

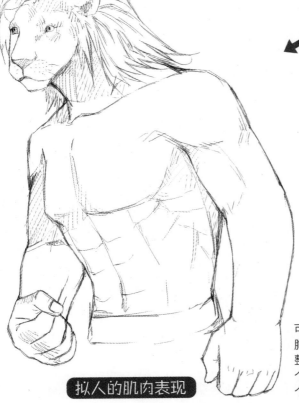

拟人的肌肉表现

从狮子的结构图中可以很明显的看出，其胸腔较大，盆骨偏小，整个躯干简化后就像一个倒挂的茄子，要把这个特点牢牢记住。

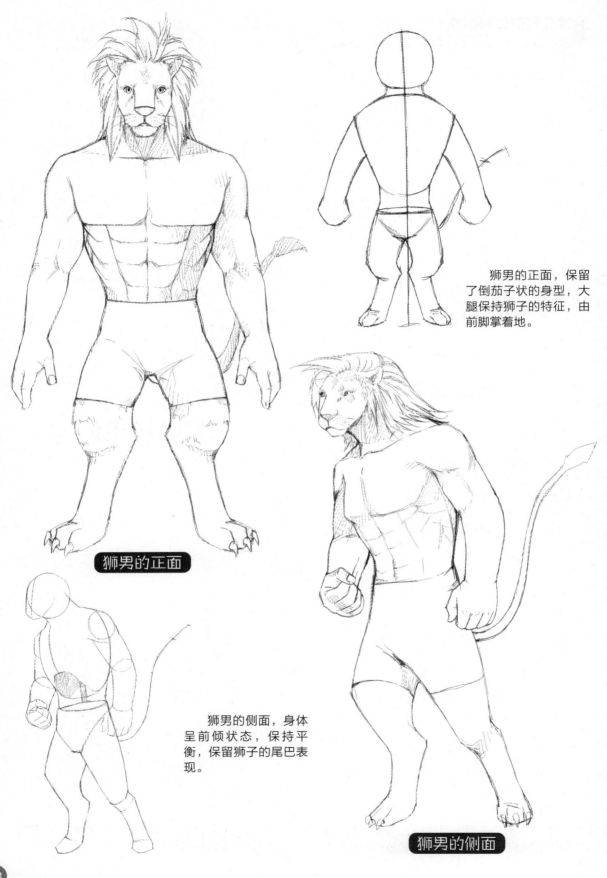

狮男的正面，保留了倒茄子状的身型，大腿保持狮子的特征，由前脚掌着地。

狮男的正面

狮男的侧面，身体呈前倾状态，保持平衡，保留狮子的尾巴表现。

狮男的侧面

通过几何形体来联想

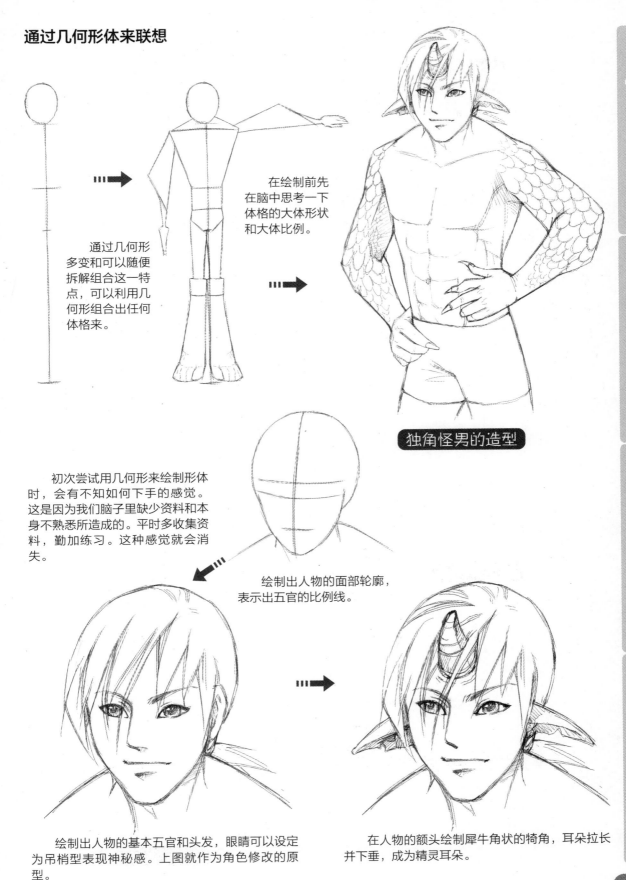

通过几何形多变和可以随便拆解组合这一特点，可以利用几何形组合出任何体格来。

在绘制前先在脑中思考一下体格的大体形状和大体比例。

独角怪男的造型

初次尝试用几何形来绘制形体时，会有不知如何下手的感觉。这是因为我们脑子里缺少资料和本身不熟悉所造成的。平时多收集资料，勤加练习。这种感觉就会消失。

绘制出人物的面部轮廓，表示出五官的比例线。

绘制出人物的基本五官和头发，眼睛可以设定为吊梢型表现神秘感。上图就作为角色修改的原型。

在人物的额头绘制犀牛角状的犄角，耳朵拉长并下垂，成为精灵耳朵。

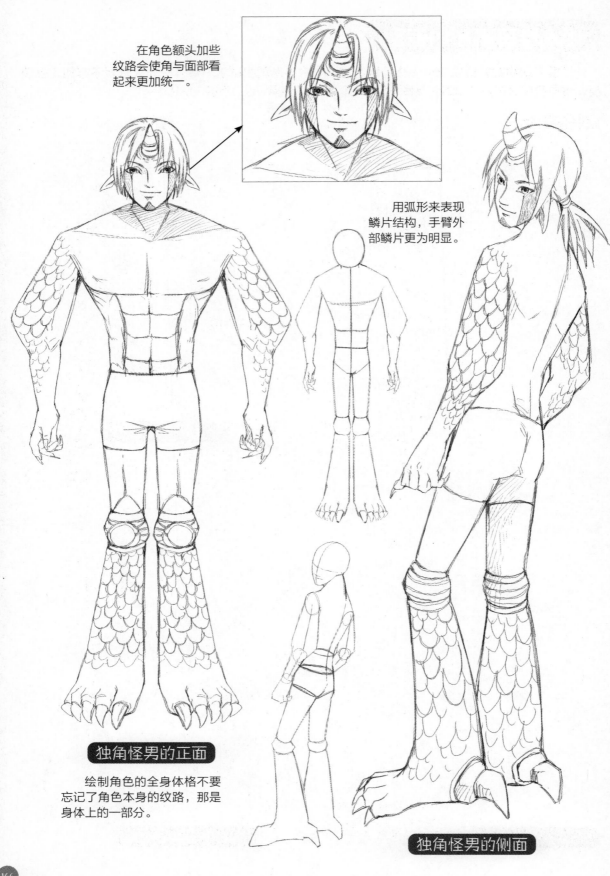

在角色额头加些纹路会使角与面部看起来更加统一。

用弧形来表现鳞片结构,手臂外部鳞片更为明显。

独角怪男的正面

绘制角色的全身体格不要忘记了角色本身的纹路,那是身体上的一部分。

独角怪男的侧面

让人过目不忘的造型

　　了解了动物的特征以及拟人化的绘制方法，接下来就尝试着设计几个让人过目不忘的角色造型，这里会综合之前学习的的融合法和拆分法等来创作具有动物特点的角色。

魔法兽少女

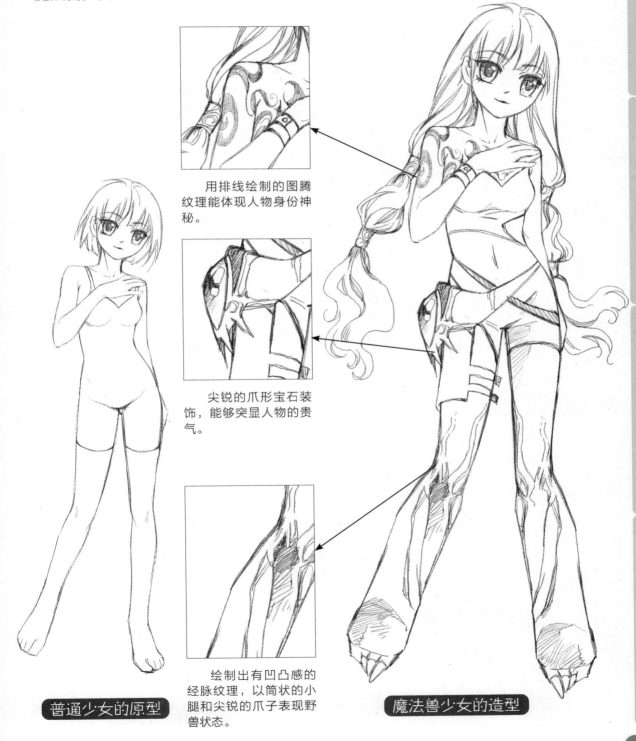

用排线绘制的图腾纹理能体现人物身份神秘。

尖锐的爪形宝石装饰，能够突显人物的贵气。

绘制出有凹凸感的经脉纹理，以筒状的小腿和尖锐的爪子表现野兽状态。

普通少女的原型

魔法兽少女的造型

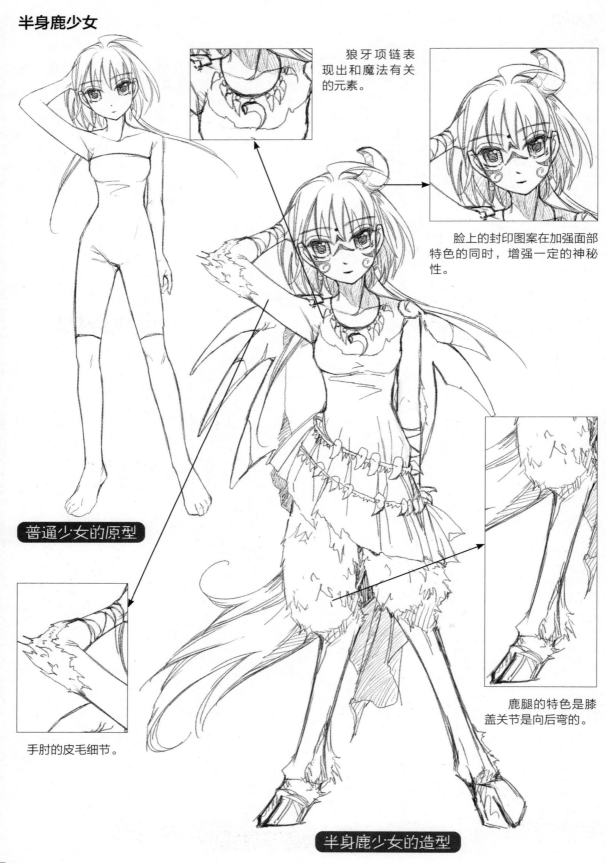

半身鹿少女

狼牙项链表
现出和魔法有关
的元素。

脸上的封印图案在加强面部
特色的同时，增强一定的神秘
性。

普通少女的原型

鹿腿的特色是膝
盖关节是向后弯的。

手肘的皮毛细节。

半身鹿少女的造型

石头怪

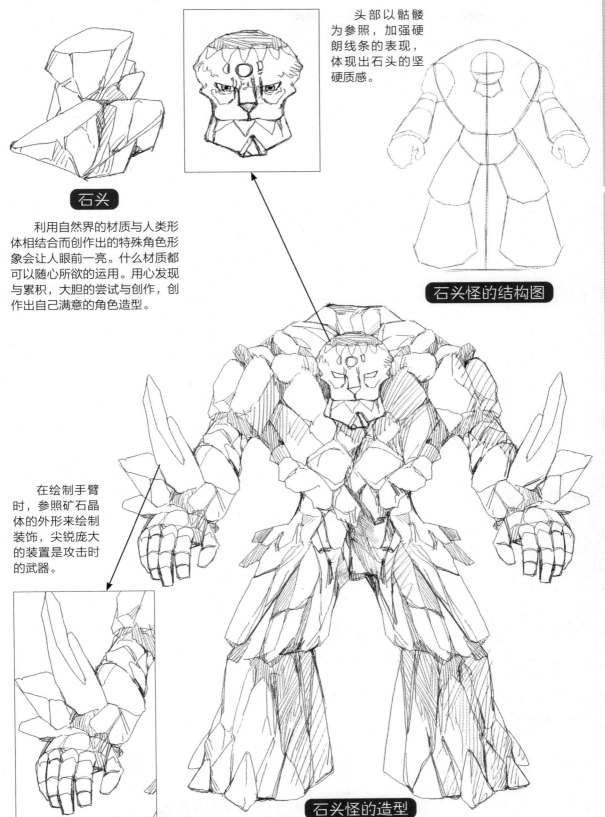

石头

利用自然界的材质与人类形体相结合而创作出的特殊角色形象会让人眼前一亮。什么材质都可以随心所欲的运用。用心发现与累积，大胆的尝试与创作，创作出自己满意的角色造型。

头部以骷髅为参照，加强硬朗线条的表现，体现出石头的坚硬质感。

石头怪的结构图

在绘制手臂时，参照矿石晶体的外形来绘制装饰，尖锐庞大的装置是攻击时的武器。

石头怪的造型

5
Chapter
绘制动感的角色

6
Chapter
整体造型是角色吸引人的关键

7
Chapter
非人类角色也能成为漫画的主角

8
Chapter
有魅力的角色才能赢得读者的心

设计角色造型的流程

在开始设计一个角色造型前，需要知道是为什么样的角色设计造型，角色资料丰富程度直接影响角色造型的好坏。

角色：水精灵
时代背景：幻想
形体：人身鱼尾加长发。
穿着：一点装饰和水。

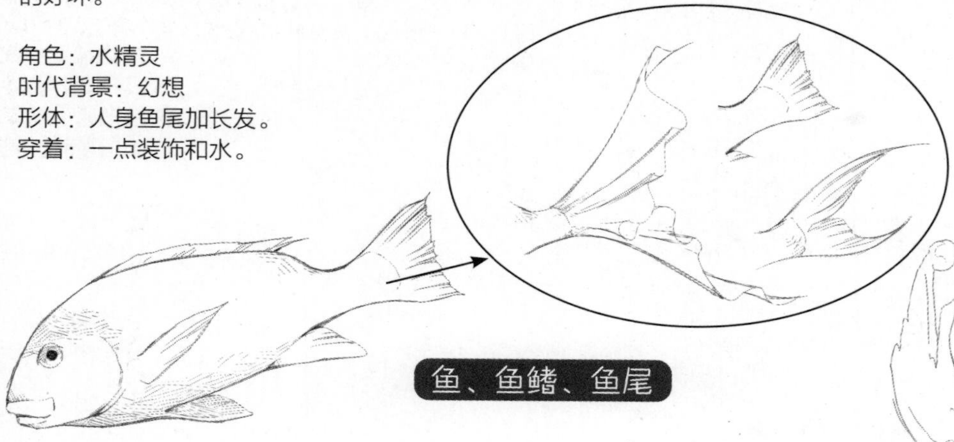

鱼、鱼鳍、鱼尾

不同状态的水

首先要为顺利绘制角色造型而寻找与之相匹配的素材。

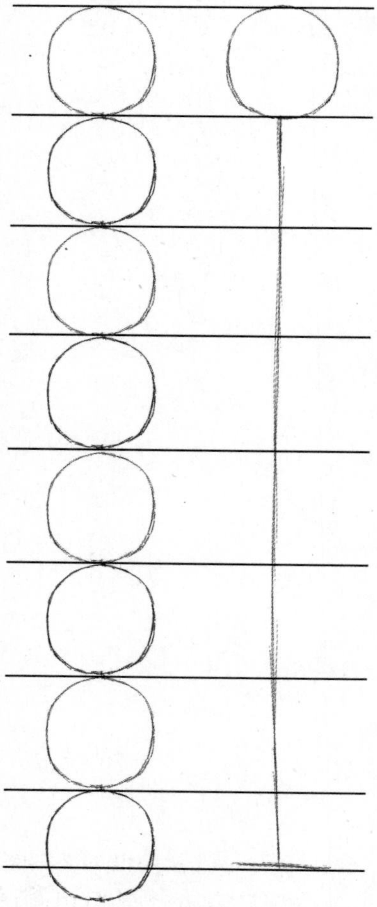

1 确定出人鱼的头身比例决定身高。

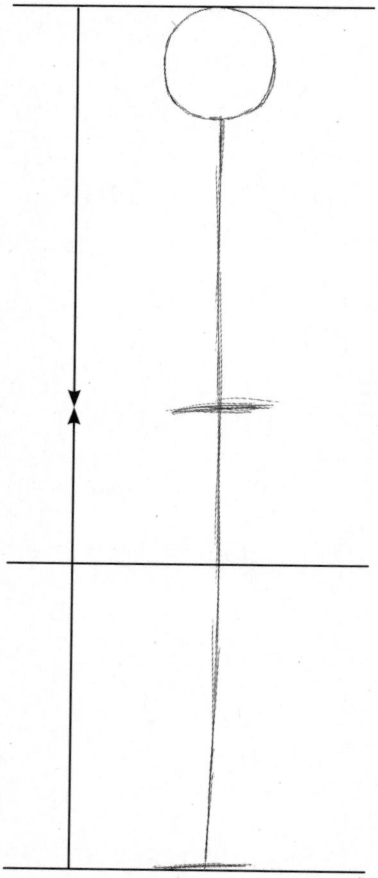

2 分出上下半身的比例，确定出鱼尾的长度。

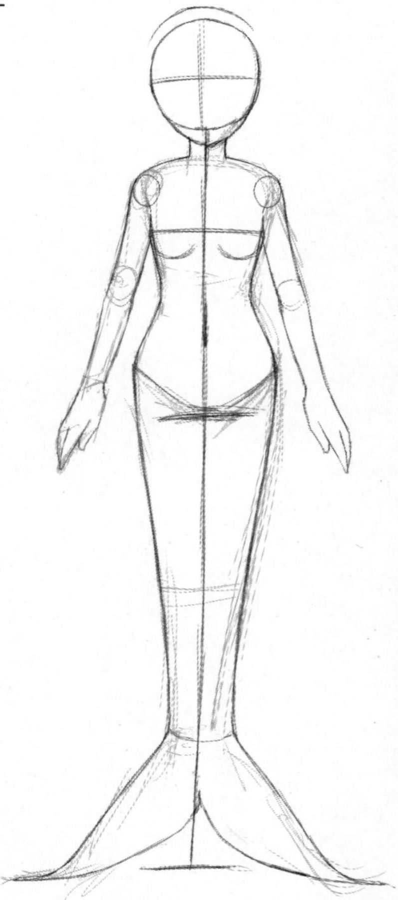

3 绘制出人鱼的身体结构图，鱼尾先收拢再开出鳍。

在确定了水精灵的外形后，来深入的设计其五官等细节。

1 绘制出人物的圆形头颅结构。

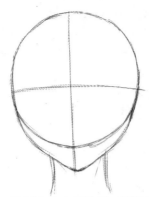

2 绘制出十字基准线，沿着两圆边绘制出下巴。

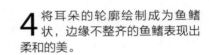

3 画出五官的轮廓，对眼睛做出一定的修饰，仿照鱼鳍式样绘制眉毛与睫毛。

4 将耳朵的轮廓绘制成为鱼鳍状，边缘不整齐的鱼鳍表现出柔和的美。

人鱼头部的正面

人鱼头部的侧面

设定完面部的形象之后，来看看身体动态的绘制。

1 绘制出人物扭腰腾跃的动态骨架图。

2 勾出身体形态轮廓，画出鱼尾和鱼鳍结构。

3 将人物的头发轮廓绘制出来，往下逐渐变为水的柔和线条。

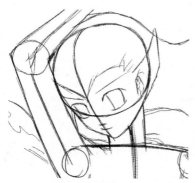 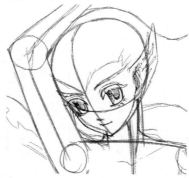 

4 绘制出头部的发际线与五官外形。

5 绘制出类似鱼鳍的眼睛与耳朵，勾出脖子结构。

6 绘制出发丝的纹理，耳侧头发较厚。

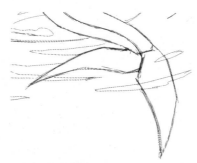  

7 绘制出鱼尾的基本轮廓，尾部呈尖角。

8 绘制出鱼鳍的参差不齐，用弧线绘制鱼鳍的纹理。

鱼尾的细节

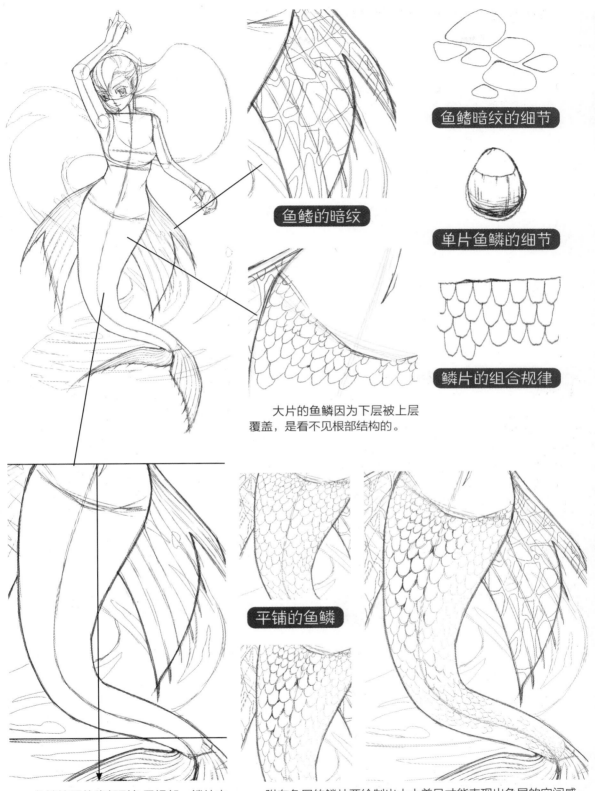

鱼鳍的暗纹

鱼鳍暗纹的细节

单片鱼鳞的细节

鳞片的组合规律

大片的鱼鳞因为下层被上层
覆盖，是看不见根部结构的。

平铺的鱼鳞

鱼鳞按照从腹部到鱼尾根部，鳞片由
小变大再慢慢变小。

附在鱼尾的鳞片要绘制出大小差异才能表现出鱼尾的空间感。
如果一片一片的全部仔仔细细的画出来也会感觉虚假，所以在画鳞
片时要部分强调，部分虚化。但是虚化和光影是有关系的，不是随
便哪里都可以虚化，这一点需要注意。

头发被模拟成鱼类赖以生存的水，有一种相辅相成的呼应含义。

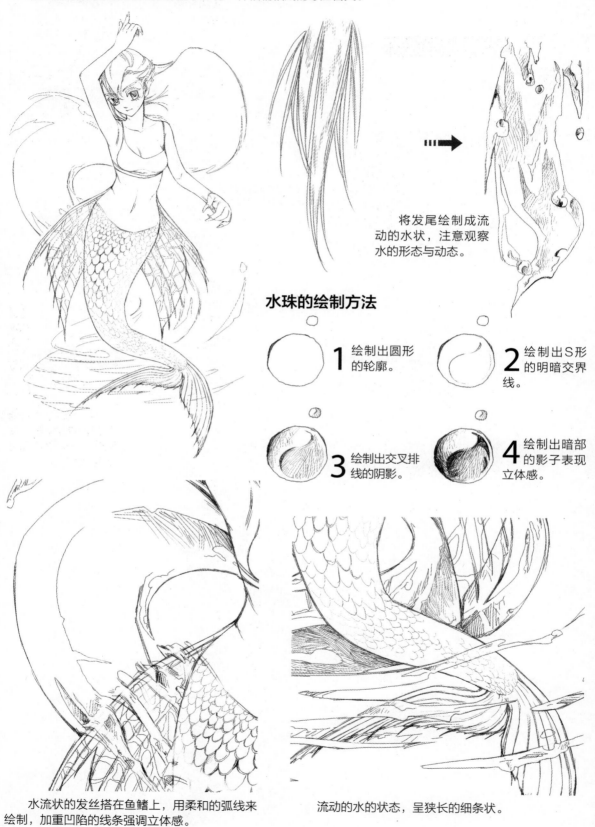

将发尾绘制成流动的水状，注意观察水的形态与动态。

水珠的绘制方法

1 绘制出圆形的轮廓。

2 绘制出S形的明暗交界线。

3 绘制出交叉排线的阴影。

4 绘制出暗部的影子表现立体感。

水流状的发丝搭在鱼鳍上，用柔和的弧线来绘制，加重凹陷的线条强调立体感。

流动的水的状态，呈狭长的细条状。

下面来看看人鱼的整体效果。

用短排线绘制出金属的光泽，留出空白的高光。

金属臂环的细节

用柔和的线条绘制出胸衣的柔软，加强突出线条能表现出画面张力。

任何物品在漫画中都能充满活力

将生活中的道具或者一些无生命的物体根据剧情需要拟人化，能够为漫画增添趣味和活力，根据事物外形特征或者用途为其变形，或者直接加入五官与四肢结构让角色生动起来。

让身边的一切东西都动起来

在将物品绘制成生动的角色时，最简单的方法是为物品加上五官与四肢，这种方法基本不会改变物品的外形，像是物品本身长出了手脚。

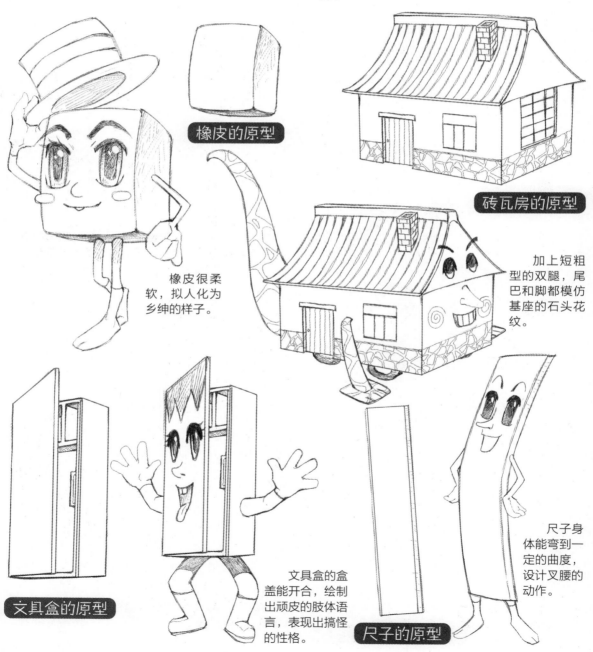

橡皮的原型

橡皮很柔软，拟人化为乡绅的样子。

砖瓦房的原型

加上短粗型的双腿，尾巴和脚都模仿基座的石头花纹。

文具盒的原型

文具盒的盒盖能开合，绘制出顽皮的肢体语言，表现出搞怪的性格。

尺子身体能弯到一定的曲度，设计叉腰的动作。

尺子的原型

物品拟人的绘制流程

1 绘制出石头的外形，画出裂纹。

2 绘制出圆眼睛。

3 绘制出小鼻子和撅起的嘴。

4 绘制出瘦小的身子和四肢。

1 首先画出流线型的方形。

2 加上五官与四肢的书籍小人侧面。

书籍小人的正面。

用排线表现速度，书籍小人俯冲的动态。

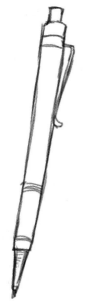

1 绘制出自动铅笔的外形。

2 绘制出侧面的五官，画出尖尖的鼻子。

3 画出细小的双手，此时脚就是笔尖。

铅笔小人在表演绘画的样子。

上天入地无所不能

在最后，来尝试将天上的太阳和云朵、土地上的萝卜等用之前的方法绘制成拟人角色。

给太阳加上五官，太阳也能对着我们微笑。

本来就是一团团的云朵，加上五官后更显得可爱。

将太阳作为角色的头部，直接加入完整的身体结构。

绘制出调皮的表情，用圆柱状表现身体的饱满。

给板栗加上五官就变成了一个可爱的板栗小人儿。

给胡萝卜加上眼睛，可爱的胡萝卜小人儿就诞生了。

再给板栗小人儿加上一个活灵活现的眉毛和两个小钳子，板栗小人儿更加形象化、更加活泼了。

给胡萝卜小人儿加上手，再画出动作表情来，会给读者一种生动有趣的感觉。

第8章

对于漫画角色来说，造型是人物的外形，而魅力则是人物的内涵。没有魅力的角色，就像是空有外表而缺乏内涵的人物。只有具有自己独特的魅力角色，才能让人印象深刻，吸引读者的注意力。所以，要塑造出成功的漫画角色，一定要掌握好赋予角色魅力的方法。

有魅力的角色才能赢得读者的心

Lesson 01 认识魅力

设定一个漫画角色需要有性格魅力与外形魅力，在创作角色之前让我们来认识一下魅力的定义，了解表现魅力的方法和魅力的分类，这些都是设定角色的基础。

什么是魅力

谈到魅力，以往人们常常会联想到美貌、青春等这些外表印象。其实魅力可不仅仅是外表哦！虽然角色要吸引人的眼球一开始需要依靠表象的魅力，但要成为经典的话就得有更多的魅力点来充实角色。所以，在介绍魅力之前先来一起分析一下下面两张图片：

图A

图B

本图角色正面直立，没有动作、没有表情、发型一般、没有华丽的服饰。

本图角色半侧站立，有动作、面带笑容、发型可爱、戴着蝴蝶结、有华丽的服饰。

对比两张图就可以看出图A看起来虽然外貌不错，但却缺少活力，看起来十分呆板像是没有经过修饰的人偶，不容易让人记住。而图B动作充满朝气、表情可爱、服饰造型得体，让人眼前一亮。同一个角色，经过修饰和改变使得吸引人的程度上升了。

这下大家明白魅力是什么了吧，它可以理解为一种吸引人的能力。

如何表现魅力

角色的魅力点可以从各个方面发掘和表现，为了不至于混乱，可以从角色的外形、内心和周围环境的烘托来分别表现魅力。

通过角色的造型和外在表现来体现魅力

角色有一张漂亮的脸固然很重要，但总是面无表情的，看久了也会觉得无趣。尤其是在剧情漫画中。所以，画好角色多变的表情无疑会为角色的魅力添分不少。

表情的魅力表现

角色的衣着和装饰可以告诉我们许多信息。例如角色所处的时代背景、身份地位等。为角色设计出让人过目不忘的整体造型是很重要的。

永远双手垂放的站姿不可能表现出角色的所有外在魅力。运动中的角色比站立不动的角色更容易受到读者的瞩目。

整体造型的魅力表现

动作姿势的魅力表现

角色的内在魅力需要通过人物设定和剧情来体现

角色的魅力除了利用衣饰容貌这些外在的条件表现之外，还可以通过为角色设定出生背景、性格、喜好以及在剧情中的重要程度来体现。

角色设定

姓名：瑞卡

年龄：16岁

行为特点：大大咧咧、像男孩子

性格：孤僻、傲慢，拒人于千里之外

角色背景：埃及国王的爱女，刚出生就没有了母亲。因为缺少母亲的管教，再加上父王的再婚，使得她一出生就不受重视，养成了孤僻的性格。

角色情节设定：瑞卡因为拒绝父王为她指定的结婚对象而离家出走，从而了解到什么才是真正的民间疾苦。

角色的外在可以吸引读者眼球的能力有限。这时，我们需要对角色进行充实。将角色放到故事中去，让角色有血有肉、有爱有恨、有失败有成功、有苦难有幸福。这一切需要作者除了对角色本身有一定的塑造和设定能力之外，还要了解角色所处时代和地域的特点和风俗。即便是架空的剧情也是需要有一个参考的。

我不要嫁给不认识的人呢！我要离开这里。

公主殿下！

烘托和对比也是表现魅力的重要因素

利用丑陋杂乱的东西来突显美丽整洁的东西的方法就叫对比法。这种利用对比来表现魅力的方式常见影视剧、海报、图文中。大家可以多多尝试。

单看公主一个角色也许感觉不出什么。但是，如果在她的身后加一个穿着朴素，打扮一般的侍女就能很明显的感觉出两个角色之间的差异，从而确立公主的魅力。

烘托也是表现魅力的一种有效方式。当然，利用什么来烘托什么需要认真的思考后再做决定。因为烘托者是决定被烘托者魅力的关键。

如上图所示，美丽的公主被漂亮圣洁的莲花所包围，将公主也衬托得美丽、圣洁。这预示着公主在剧情中的走向及结局。如果摒弃莲花不要，在公主的周围画上荆棘，那么，给人的感觉就大不一样了。

Lesson 02 魅力的分类

漫画角色的魅力多种多样，主要体现在外表、性格、才学、经历等多个方面，而且人物的弱点、不协调感以及神秘感都能使角色形象更为丰满，表现出更强的魅力。

表面的魅力

角色在出场时吸引人的第一要素就是外表。能够根据角色的相貌、体格、服饰还有身边的其他道具，就可以想象出这个角色的身份和职业，是个怎样的人。并且下意识的对其进行评价，从而产生可爱、美丽、高贵、时髦这样的正面评价，或是邋遢、低级趣味、幼稚这样的负面评价。

角色设定

姓名（性别）：丽莎(女)
年龄：16岁
相貌特点：可爱、华丽
形体：标准、匀称
人物背景：丽莎是19世纪初的一个中等家庭出身的女孩。

在整个角色设定中五官起着至关重要的作用，根据剧情的需要和角色的身份来设计角色的容貌。

贴合角色身份的发型也是增加角色魅力的重要因素之一，在设计发型时，需要注意角色的身份地位和身处的时代背景。

服饰设计

衣着：十九世纪初期中上等名媛小姐的服饰。

道具：小巧的太阳伞和帽子。

根据角色的特点和身份，为她添加适合的道具，可以使角色的魅力得到提升。

为角色搭配适合的服饰。我们不可能一直都画自己同时代、同地域的事物，在遇到自己所不熟悉的东西时就要勤查资料，要不然会被知道的读者笑话的。

以服饰装扮来衬托人物魅力是最直观的方法。角色的身份地位、所处的年代地域都可以用身上所穿的服饰来表现。比如一个乞丐身上穿着带补丁的衣服就能让人很直观的感觉到他的贫穷和困苦。如果要进一步清楚的设定那个乞丐所处的年代是明朝。那么就只需要画出明朝时期的服饰并将之简化画出补丁就可以了。

性格的魅力

　　有性格的人才更有魅力。角色被读者熟记不光靠外表的装饰，还需要有生动的表情和肢体语言的充实。特定的表情和动作习惯是表现角色性格特征的关键之一。角色是开朗还是沉闷、是娇气还是坚强都是性格所表现出来的特点。

角色设定

姓名（性别）：刘政(男)
年龄：12岁
相貌特点：小正太
性格：懦弱、胆小
人物背景：刘政是一个小学生，在班上总是会受人欺负却不懂得反抗。

　　性格可以通过研究角色的优缺点和特定的表情及动作习惯来表现。

　　平时就是一张受气包的表情，在受到挫折或是惊吓时更加用哭泣来面对，非常形象的表现出了角色胆小的性格。

　　在受到委屈的时候也不敢反抗，只会躲在一角偷偷哭泣。

告诉你多少次了，你就是记不住。你怎么这么笨啊!

对……对不起……

刘政在家中也总是因为做错事情而受到母亲的责骂，不管母亲的指责是对还是错他都只会说对不起。

性格是可以随着情况而改变的。比如一个要强的人处处都高人一等，却因为受到了巨大的打击而一蹶不振，从此深居简出，被人嘲笑也不回嘴，从一个意气风发的人变成一个意志消沉的人。这是根据故事情节的发展而改变的。这种改变会使角色更加生动而富有魅力。

你们怎么可以伤害小动物呢? 这样是不对的，快住手吧!

因为自己总是被人欺负，刘政深刻的理解弱小的无助和悲哀，所以他加入了小动物保护协会，在遇到有人欺负小动物的时候，他就算再怎么害怕，也会在心理斗争中战胜懦弱的自己，站出来保护小动物。

5
Chapter
绘制动感的角色

6
Chapter
整体造型是角色吸引人的关键

7
Chapter
非人类角色也能成为漫画的主角

8
Chapter
有魅力的角色才能赢得读者的心

才学的魅力

角色的才能和学识也是可以成为吸引读者注意的魅力点。如果笔下的角色什么都不会，或是统统都是万能选手，那么角色之间的差异感就会弱化很多，魅力点也就会因此而下降了。

角色设定

姓名（性别）：周俊(男)
年龄：12岁
相貌特点：文弱的书生模样
性格：文静
人物背景：父母都是靠刺绣为生的手工艺者，周俊自小也学得一手好刺绣。

我们这里讲述的才学是角色所特有的技术和能力，例如学识渊博、绘画技术高超、熟练的掌握一门手艺、拥有纯熟的格斗技巧、唱歌很好听等都是角色的才学。

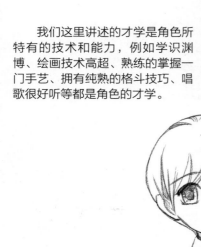

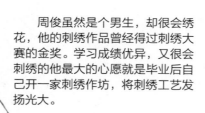

周俊虽然是个男生，却很会绣花，他的刺绣作品曾经得过刺绣大赛的金奖。学习成绩优异，又很会刺绣的他最大的心愿就是毕业后自己开一家刺绣作坊，将刺绣工艺发扬光大。

除了一手刺绣的好本领之外，运动也是周俊的爱好。在所有的体育运动中，跑步是他最喜欢也是最擅长的。上体育课时，动作灵巧、反应敏捷的他一开跑总能将同学远远的抛在身后，是班上有名的长跑健将。

见过周俊的长辈都夸他文静、好学、一身书卷气，将来一定有出息。但是自己像文弱书生一样的外表却是周俊最不满意的地方。他每天晚上都会进行体育锻炼，可是就是不怎么长肌肉，让他既觉得失望，又感到头疼。

5 Chapter 绘制动感的角色

6 Chapter 整体造型是角色吸引人的关键

7 Chapter 非人类角色也能成为漫画的主角

8 Chapter 有魅力的角色才能赢得读者的心

弱点的魅力

简单来说，可以把弱点理解成不擅长或是害怕的东西。并不是一个人越完美就越有趣。角色有长处有短处，拥有优势却又有弱点的人会显得更有魅力。

角色设定

姓名（性别）：宝宝(女)
年龄：16岁
相貌特点：乖巧、机灵
弱点：忘性大
人物背景：出生于普通家庭的宝宝什么事情都要亲力亲为，但常常是多做多错、越帮越忙。

角色的弱点可以是角色害怕的东西、讨厌的东西、不擅长的东西、马虎的东西等。

奇怪，总感觉今天好像还有什么事情没做。到底是什么事呢？

看起来很机灵的宝宝却是个容易忘事的糊涂虫，做事常常丢三落四、有头没尾。

呜……打雷好可怕啊。

虽然是16岁的少女了，但是宝宝仍然和小孩子一样怕打雷。一到雷电交加的下雨夜，她就吓得浑身打哆嗦，恨不得躲到床下面去。

呀！饭又烧糊了。

宝宝从很小的时候就开始做家务，整理、清洁的工作都难不倒她，可偏偏做饭却怎么都做不好，每次都会烧糊。实验了很多次以后，宝宝不得不承认自己真的是没有做饭的天分。

不协调的魅力

　　每个人都有不为人知，让人大感意外的一面。在外人面前成熟冷静，在家中却自由散漫。平时什么都不会做，却突然发挥出某种才能，这种意外其实是一种主观的错觉。通过对角色外貌、性格及能力的观察，人们会形成一种主观的评价，超出这种评价的一面就会让人感觉意外，这种意外就是角色的不协调之处。不协调会让人感觉惊喜有趣就是因为这种意外。

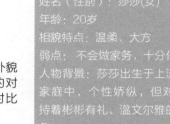

角色设定

姓名（性别）：莎莎(女)
年龄：20岁
相貌特点：温柔、大方
弱点：不会做家务，十分任性
人物背景：莎莎出生于上流社会的家庭中，个性娇纵，但对外总保持着彬彬有礼、温文尔雅的淑女形象。

　　不协调的角色可以表现在外貌与性格的对比、能力与弱点的对比、好的一面与坏的一面的对比上。

我说的话你听不懂吗？白痴。

　　看上去温柔的莎莎，在面对自己很熟悉的人时说话相当粗鲁，毫不掩饰自己娇纵的个性。温柔贤淑的外表和粗鲁任性的内在形成了强烈的反差，让人意外。

身为上流社会的千金小姐，莎莎需要随时随地都表现出大家闺秀的风范，丰富的学识、完美的笑容、优雅的举止、得体的礼仪都是她必须具有的。她在公众前的一举一动都要保持完美的水准，这让莎莎的内心倍感压力。

家里是莎莎唯一不需要顾忌形象的地方，所以一回到家她就立马摆脱掉所有的束缚，行为非常散漫、自由。私底下的莎莎，像小孩子一样喜欢薯片、汉堡之类的零食，既不会做家务又大大咧咧，总是把衣服、食物、垃圾扔得到处都是。一间干干净净的房间，她只要一刻钟就能搞得乱七八糟，常常惹得把她照顾大的奶妈生气。

刚收拾好又被你搞得这么乱。

经历的魅力

没有人的经历总是一帆风顺的，角色也是一样。每个人在成长过程中都会经历很多事情，或幸运或不幸，在遇到事情时或喜悦或烦恼。所以在别人遇到相同的问题时就会产生共鸣。

角色设定

姓名（性别）：李慧(女)

年龄：18岁

相貌特点：温柔、大方

经历：因为火灾失去了父母。

人物背景：本来生活优越的她在一场火灾中失去了父母，只有一个妹妹和自己相依为命。

角色的经历可以从家里发生过什么事情、在社会里遭遇过什么事情等来表现。

欢迎光临。

李慧为了但负起照顾妹妹的责任，在失去父母的沉痛打击中坚强的站了起来，在一家茶餐厅中打工的她希望妹妹能得到良好的教育，过上舒适的生活。

当火灾无情的夺走李慧的父母和家园时，她才只是一个15岁的少女。初逢巨变，从小生活优越，在父母细心呵护下长大的她完全不知所措，无依无靠的她也只会和妹妹相拥在一起无助的哭泣。

灾难总是能使人在一夜之间迅速成长。经过最初的软弱和无助的哭泣之后，李慧开始强迫自己面对现实，学着坚强起来。因为她还有一个年幼的妹妹需要抚养。她已经失去了爸爸、妈妈和家园，她不能再失去妹妹。在家园的废墟上，她暗暗发誓，要将妹妹健健康康、平平安安的抚养长大，永远不会抛弃妹妹，不会放开妹妹的手。

神秘感的魅力

　　不管什么人都有一两个不为人知的秘密。而人类天生的好奇心理又会在产生疑问的时候想要去寻求答案。作者常常利用这一点让自己笔下的角色周身围绕神秘之感，吊起读者的胃口，让大家不自觉的想要把故事看下去。

角色设定

姓名（性别）：刘彬(男)

年龄：18岁

相貌特点：成熟、帅气

神秘感：不理会人，一到夜里就偷偷从卧室窗户跳出去，没有人知道他要做什么。

人物背景：父母离异，从小跟着不负责任的父亲一起生活的刘彬很小就懂得生活的艰辛，他每天都要偷偷在外打工维持生计。学习成绩中等的他从不与班上的任何人主动交往。

　　角色的神秘感可以表现在其身体上的秘密、持有某种神秘的物品和将要经历、正在经历或已经经历的神秘的事情上。

　　不管和谁相处，刘彬都是这种淡淡的、拒人以千里之外的表情，显得非常冷漠。

　　不愿意正视他人，不愿意和别人交流，不喜欢向他人倾诉也不喜欢倾听他人诉说，这种个性使刘彬的身上充满了不明朗的神秘感。

虽然外表成熟、帅气的刘彬身为学校的校草，但因为他平时总是一脸冷冰冰的表情，所以大家都不敢太接近他。很多同学都悄悄的在背后议论刘彬，但对外界漠不关心的他从来没有加以注意过。在刘彬看来，这个世界上最需要他烦恼和关注的问题是如何才能生存下去。

学校不准在校学生在外打工，为了维持生计，刘彬偷偷找了一个在酒吧驻唱的兼职。由于他的外表成熟，所以也没有人怀疑他并未成年。拿起吉它的时候是刘彬最放松、最开心的时候，只有这时他才能在歌声中倾诉自己的心声、抒发自己的闷，也只有在这时，他的脸上才会流露一丝丝笑容。

Lesson 03

试着创作魅力角色

不同魅力的组合能使人物显得更加具有吸引力，在了解了魅力的表现方法之后，来试着结合人物造型，创造出各种充满魅力的漫画角色。

千金小姐

千金小姐最明显的特点就在她精心修饰的容貌和华丽而多变的装束上，而优雅得体的举止也是千金小姐的标志之一。

角色设定

姓名：伊萨
年龄：16岁
性别：女
身份背景：出生于19世纪的英国贵族家庭，是家中的长女。

☆表面的魅力：
伊萨是个美丽的姑娘，有一双水汪汪的大眼睛和一头卷曲的长发，纤细高挑的身材让她穿什么衣服都漂亮。

5
Chapter
绘制动感的角色

6
Chapter
整体造型是角色吸引人的关键

7
Chapter
非人类角色也能成为漫画的主角

8
Chapter
有魅力的角色才能赢得读者的心

☆才学的魅力：
　　伊萨有一副好嗓子，她小小年纪就得到了音乐大师的赏识，还专门为她在剧院举行过伊萨的独唱音乐会。

不吃，拿走。

可是，小姐今天什么都没吃。这样对身体不好。

☆不协调的魅力：
　　在外面，伊萨不管什么时候都表现得落落大方、美丽动人，在家中却十分任性。

☆性格的魅力：
　　伊萨总是表现了十分强势，只要是自己不喜欢的东西。不管对自己多么有益也不要。

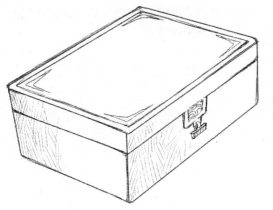

☆神秘感的魅力：
　　伊萨有一个银质的小箱子。她每次心情不好的时候都会将自己一个人锁在房间里面，打开小箱子，对着里面的物品说话。有一个女仆因为好奇而偷偷的打开过小箱子，结果那个女仆再也没有出现过。以至于一度盛传伊萨的小箱子装的是巫女的物品。大家一看见伊萨不高兴就会表现得十分惊恐。

☆弱点的魅力：
　　表面很强势的伊萨，每次看见父亲和后母还有弟弟在一起时都会情绪低落很久。

☆经历的魅力：
　　伊萨的母亲在伊萨出生的时候就去世了，伊萨的父亲很快与另一位女性结婚并且生下了弟弟汉斯。不管是在家中还是在外面，父亲总是和后母以及弟弟在一起，连看都懒得看伊萨一眼。

超合金警探

在科幻题材的作品中，常常出现各种机械人物。绘制这些人物时，注意将人体与机械的形态相结合，以突显出主题。

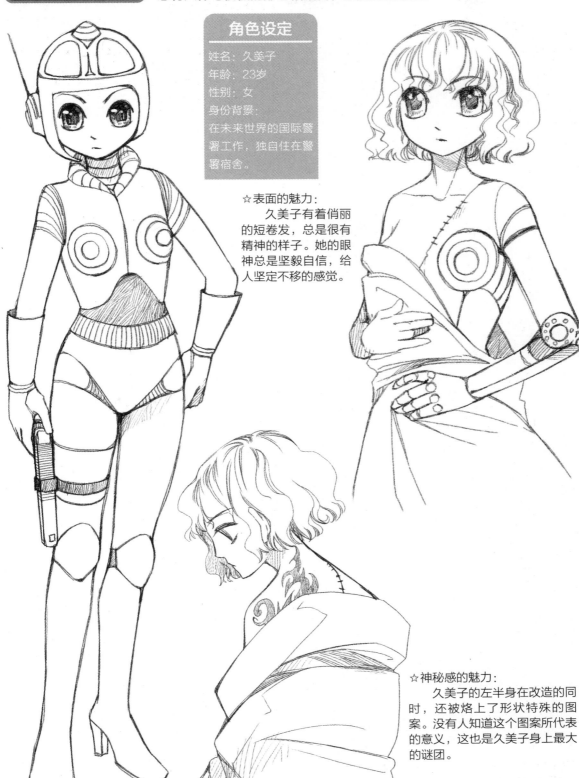

角色设定

姓名：久美子
年龄：23岁
性别：女
身份背景：
在未来世界的国际警署工作，独自住在警署宿舍。

☆表面的魅力：
　久美子有着俏丽的短卷发，总是很有精神的样子。她的眼神总是坚毅自信，给人坚定不移的感觉。

☆神秘感的魅力：
　久美子的左半身在改造的同时，还被烙上了形状特殊的图案。没有人知道这个图案所代表的意义，这也是久美子身上最大的谜团。

☆性格的魅力：

久美子是个很勇敢的人，每次出现什么情况都会冲在最前面，无论危险与否。不要说普通人，就连她的同僚都常感叹她很拼命。

太拼命了吧！

☆不协调的魅力：

战斗总是冲在第一线的久美子也有非常女性化的一面。每到放假她就喜欢疯狂的购物，而且超喜欢买床单、被套、抱枕什么的居家用品，非常喜欢布置房间。

☆才学的魅力：

对于知识有着强烈的欲望，学习能力超强，精通很多门学科，是警署的活人百科全书。

☆弱点的魅力:
　　堪称机械女超人的久美子天不怕、地不怕，偏偏小小的老鼠是她唯一的克星。面对众多的歹徒她都能神色自若，但是只要一碰到老鼠她就会马上显露出恐惧的神色，高分贝的尖叫声直逼大家的承受极限。

5
Chapter
绘制动感的角色

6
Chapter
整体造型是角色吸引人的关键

7
Chapter
非人类角色也能成为漫画的主角

8
Chapter
有魅力的角色才能赢得读者的心

☆经历的魅力:
　　在一次事故中受了重伤，左半身和心脏受到重创，警署将久美子作为试验品送到了科研室，把受伤的肢体改造成了机械装置，虽然身体没有一般人的体温，久美子依然勇敢坚强的面对美好的生活。

多情的王子

王子的身份尊贵，性格上通常具有强势、威严的特点，体现出王者之风的感觉。而丰富的感情则能够使王子的角色更富于戏剧效果。

角色设定

姓名：泰伊
年龄：20岁
性别：男
身份背景：生于古埃及皇室之中，是法老王庶出的第三子，幼年时并不受父亲的重视。

☆表面的魅力：
泰伊王子身材颀长、面貌英俊。由于常年征战、打猎，他的身体显得相当健壮，表现出阳刚的男子气概。

☆性格的魅力：
身为王子，泰伊背负的责任重大，这养成了他坚毅、沉静、认真的性格。

☆不协调的魅力：
骁勇善战的王子私下却像女孩子一样喜欢花朵，特别是纯洁的莲花。

呃……呃……

☆弱点的魅力：

　　泰伊虽贵为王子，但一见到自己心仪的女生就像普通的少年一样脸红心跳，结结巴巴的说不出话来。好几次他鼓起勇气想要上前攀谈，但总是阴差阳错的错过机会。

☆才学的魅力：

　　幼年时泰伊就常跟随父亲与兄长骑马打猎，而自14岁起他更是常常在战场上冲锋杀敌，这锻炼出了他百发百中的好本领，是全国顶尖的神射手。

☆不协调的魅力：

　　谋略与征战的才能是王子显得更加优秀，而面对心仪少女会感到害羞的弱点则会使王子表现出自然、可爱的一面，缩短了人物身份带来的的距离感。

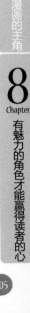

5
Chapter
绘制动感的角色

6
Chapter
整体造型是角色吸引人的关键

7
Chapter
非人类角色也能成为漫画的主角

8
Chapter
有魅力的角色才能赢得读者的心

☆神秘感的魅力：

　　对泰伊来说，8月的第一天是一个特殊的日子。每到这一天，他就会摒退所有的侍从，独自一人待在自己的寝宫内喝闷酒。没有人知道王子为什么哀叹，也没有人知道王子为何惆怅，这是泰伊埋藏在心底最深处的秘密。

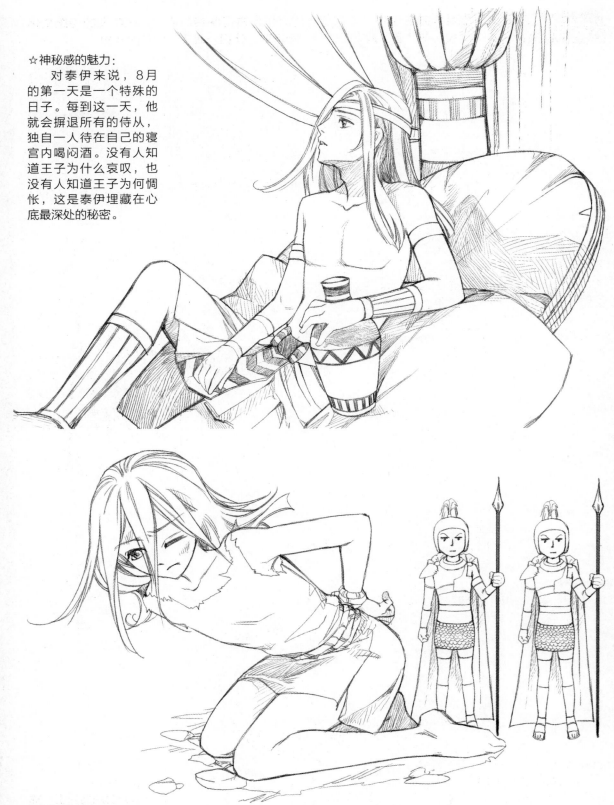

☆经历的魅力：

　　在泰伊11岁的时候，罗马帝国派兵攻打埃及，法老王一度战败，整个皇室举家迁离避难。由于避难不及，泰伊不幸被罗马军队俘虏。直到2年后埃及战胜罗马，泰伊才得以返回埃及皇室。

豪爽大方的个性、不拘小节的风格是古代侠客的特征。在中国的传统文化中，"侠"与"酒"常常伴随着一起出现，体现出潇洒、大气的感觉。

角色设定

姓名：凌玥

年龄：19岁

性别：女

身份背景：浪迹天涯的古代女侠客，无父无母、四海为家，暂时落脚在一个偏远的村镇上。

☆性格的魅力：

虽然没有家园，但四处漂泊的凌玥从不怨天尤人。她的性格开朗活泼、不拘小节，大家都很喜欢她。

☆表面的魅力：

凌玥有一头柔顺的长发，外表纤柔动人，虽然服饰十分简陋，但遮掩不住她美丽的光芒。

☆弱点的魅力：

一喝醉就东倒西歪，找不着方向，到处缠着人胡闹，让人既头疼又好笑，闹出了不少的笑话。

☆才学的魅力：

　　凌玥的双手十分灵巧，在村中以做木雕为生。她雕刻出来的小动物憨态可掬、栩栩如生。木雕面带的笑容就像凌玥一样，带给人快乐的感觉，因而很受大家的欢迎。因为做木雕的才能，村里的小孩子们都特别喜欢凌玥。

木雕小菜一碟啦，再做一个小兔子好了！

☆经历的的魅力：

　　家庭背景也是人物魅力的展现点之一。塑造漫画角色时，可以通过复杂的身世谜团和不寻常的生活经历来增强人物的吸引力。

☆不协调的魅力：

　　凌玥的外表纤柔美丽，但偏偏个性中却找不到半点柔媚的特质。不拘小节、开朗大方，凌玥体现出"大口喝酒、大块吃肉"的豪爽男儿气。这种外表与内在的落差使得人物的行为更加有趣，给人意外的喜剧感。

怎么会这样……

☆神秘感的魅力：

　　凌玥离家出走后在外漂泊了很久，最后才在这个偏远的城镇暂住下来。村里的人不知道她来自何处，也不明白她流浪的原因，更不知晓她一身的武功从哪里学来，在众人的眼中，凌玥一直是一个神秘的人物。而在某天收到一封书信之后，凌玥情绪变得非常低落，甚至一反常态的毁掉了所有的藏酒。村民们都很担心她，但是凌玥却怎么也不愿告诉大家发生了什么事情。

5
Chapter
绘制动感的角色

6
Chapter
整体造型是角色吸引人的关键

7
Chapter
非人类角色也能成为漫画的主角

8
Chapter
有魅力的角色才能赢得读者的心

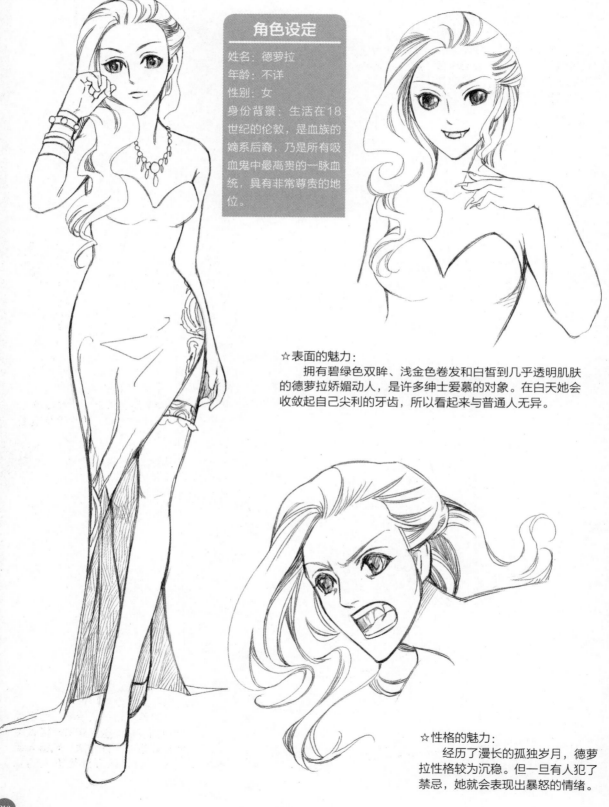

吸血鬼

吸血鬼的传说在西欧流传了数百年甚至上千年之久，这种神秘的魔怪出现在各种文艺作品之中，具有高贵、诡秘、充满魅力的形象特征。

角色设定

姓名：德萝拉
年龄：不详
性别：女
身份背景：生活在18世纪的伦敦，是血族的嫡系后裔，乃是所有吸血鬼中最高贵的一脉血统，具有非常尊贵的地位。

☆表面的魅力：

拥有碧绿色双眸、浅金色卷发和白皙到几乎透明肌肤的德萝拉娇媚动人，是许多绅士爱慕的对象。在白天她会收敛起自己尖利的牙齿，所以看起来与普通人无异。

☆性格的魅力：

经历了漫长的孤独岁月，德萝拉性格较为沉稳。但一旦有人犯了禁忌，她就会表现出暴怒的情绪。

呀！黑眼圈啊！怎么办怎么办怎么办啊？！

☆弱点的魅力：
　　吸血鬼一般都在夜间活动，但只要一熬夜，德萝拉的皮肤就会变得很差，对于爱美的她来说这是最可怕的问题。

☆不协调的魅力：
　　德萝拉非常爱美，甚至到了有点自恋的地步，有事没事就爱揽镜自照。

☆才学的魅力：
　　德萝拉很擅长蛋糕、面包等点心的制作，她空闲时常常教授女仆糕饼的烹饪方法。她待人亲切又耐心，所以深受下人的爱戴。

☆经历的魅力：
　　作为吸血鬼中最高贵的血统，
德萝拉曾是统帅整个吸血鬼的首领
人物。但现在德萝拉已经放弃了过
去拥有的一切，远离了吸血鬼的家
族，隐匿在了普通人的社会里。

塞西利亚……

☆神秘感的魅力：
　　德萝拉每年都会在固定的日子里前去野外的墓
地拜祭。没有人知道沉睡在那里的是谁，有人曾经
好奇的询问，但德萝拉只是悲伤的回答："那是带
给我新生的人。"

猫王

具有童话色彩的猫王在造型上既要体现出可爱动物的感觉，又要表现出机敏、睿智的王者形象，可以用皇冠这种代表性饰物来突显角色的身份。

5
Chapter
绘制动感的角色

6
Chapter
整体造型是角色吸引人的关键

7
Chapter
非人类角色也能成为漫画的主角

8
Chapter
有魅力的角色才能赢得读者的心

角色设定

姓名：弗雷德
年龄：不详
性别：男
身份背景：猫国的国王，并非皇室血统，因为拥有神奇而强大的力量，统一了国家，而被推选为国王。

☆性格的魅力：
　　性格温和、成熟，下决定之前会深思熟虑，做事非常负责，因为他担负着整个国家和民众的命运。

☆表面的魅力：
　　拥有银灰色的毛发和非常罕见的紫蓝色双眼，外表显得非常机敏、可爱。

　　绘制时可以参考古典的欧式皇冠、披风的样式来为猫王绘制服饰，突出表现角色国王的身份。

　　动物角色的性格同样是通过表情来表现的，可以多设计一些表情来把握。

啊，累死我了……

☆不协调的魅力：
每天都要穿戴整齐、头顶重重的皇冠商讨国事，这让弗雷德觉得很累，他最喜欢的还是无拘无束、懒洋洋的趴在地上睡觉，可惜这种忙里偷闲的机会实在是太少了。

各位，请跟随我一起治理这个国家吧！

是！陛下！

☆才学的魅力：
弗雷德是天生的谋略家，他的充满了自信的演讲非常具有说服力和感染力，总是能使猫国的臣民们听从他的计划和指挥。

☆弱点的魅力：
私底下的猫王其实是个爱哭鬼，受到打击时就会偷偷躲起来哭，还好没人知道他的这个小秘密。

绘制角色的弱点时，可以用夸张的方式来呈现，以增加角色的喜感。

5
Chapter
绘制动感的角色

6
Chapter
整体造型是角色吸引人的关键

7
Chapter
非人类角色也能成为漫画的主角

8
Chapter
有魅力的角色才能赢得读者的心

☆神秘感的魅力：
　　弗雷德拥有强大的魔力，这也是民众臣服于他的原因之一。但是没有人知道猫王的魔力从何而来，在民间流传着他与恶魔缔结契约而获得力量的传言，但从未得到证实。曾经有人宣称看见猫王呈现出过恶魔的形态，但没多久这些人都神秘的失去了记忆。

☆经历的魅力：
　　早年的猫国四分五裂，内忧外患不断，许多民众被迫背井离乡，弗雷德也是其中一员。在经过了长时间的辛苦游历之后，弗雷德回到了故土，利用一身神奇的魔力打败了敌人，并统一了整个国家，最终当上了猫国的国王。

保姆姐姐

对于照顾小孩子的保姆姐姐来说，慈爱与耐心是最需要具备的性格特征。具备这种性格的角色通常在外形上体现出温柔、文静的感觉。并且，由于是仆役的身份，保姆姐姐的服装要显得简洁、朴素，不会有繁复的装饰。

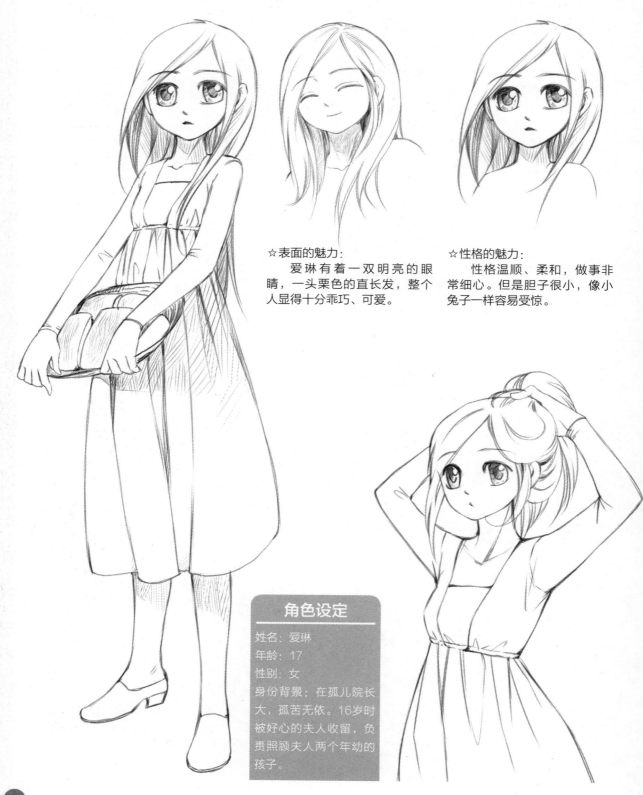

☆表面的魅力：

爱琳有着一双明亮的眼睛，一头栗色的直长发，整个人显得十分乖巧、可爱。

☆性格的魅力：

性格温顺、柔和，做事非常细心。但是胆子很小，像小兔子一样容易受惊。

角色设定

姓名：爱琳

年龄：17

性别：女

身份背景：在孤儿院长大，孤苦无依。16岁时被好心的夫人收留，负责照顾夫人两个年幼的孩子。

☆才学的魅力：
　　在孤儿院长大的爱琳经常需要照顾年纪较小的孩子们，所以照顾小孩这种工作对她来说可谓是驾轻就熟。

好好玩！爱琳姐姐，我还要玩！

爱琳姐姐，我也要一起玩啦！

☆弱点的魅力：
　　胆小的爱琳非常害怕猫。不论是大猫、小猫，只要她一见到就会吓得呆住不敢动，直到猫咪自己走远才会缓过来。

做得一手好菜也是爱琳的才能之一，每天下午她都会准备一个精致的蛋糕来当大家的下午茶点心。

☆不协调的魅力：
擅长做菜的爱琳却害怕烹饪肉食，因为她很小的时候曾目睹过屠宰的过程，这在她的心里留下了阴影，让她害怕至今。

呀！要做烤鸡吗？不要吧！

☆经历的魅力：
爱琳还身在襁褓中的婴儿时就被人遗弃在孤儿院门口，所以她从小就缺乏安全感。即使在长大后，她也很害怕再次被遗弃。

爸爸，妈妈……

☆神秘感的魅力：
每天晚上爱琳都会拿出一个精致的小镜匣默默看着，同屋住的女仆曾听见她喃喃低语"爸爸、妈妈"，但是问起时爱琳总是微笑着否认。

第9章

学习完单个人物角色的设定之后，就要尝试来创作属于自己的漫画角色。在设定角色时要把握人物在故事当中的主次安排，也要讲究角色间的配合等。本章会就这些问题来详细讲解创作漫画角色时需要注意的技巧与方法。

创作出属于自己的漫画角色

Lesson 01 随心所欲地画自己喜欢的形象

在创作角色时，也要注意漫画故事中的角色也有不同的类型，下面一起根据角色类型来绘制自己喜爱的形象吧！

主角

漫画角色大致可分为主角、次主角和配角三类。主角是漫画故事的中心人物，整个漫画围绕着主角展开，也围绕着主角结束，是漫画中最重要和最显眼的人物。以领奖台来比喻的话，主角占据着最重要的"冠军"地位。

主角

次主角

配角

在绘制漫画主角之前首先要对故事情节进行设定，我们将情节设计为一个热爱绘画的女孩追求梦想的故事。主角阿南是成绩吊车尾，但性格活泼、乐观的大学女生。为了追求绘画的梦想，她千辛万苦考上了一所大学的美术系，一个人孤身来到异地，展开了自己的求学之路。

主角在漫画中占有非常重要的地位，是整个漫画故事的灵魂人物，因此主角的设定要非常详细。不光要有人物全身的整体效果，还要对人物的各种表情动态进行设计。

阿南的喜悦表情

阿南的生气表情

阿南的难过表情

表情动态要符合人物的性格特征，在绘制活泼、好动的人物时，可以将某些表情设计得夸张一点，表现出较大的动态感。

阿南从小就热爱绘画，对成绩吊车尾、常常被人笑笨头笨脑的她来说，绘画是唯一擅长的事情，也是她自信与快乐的来源。只要一拿起画笔，她就会沉浸在自己的世界里。正是由于阿南不懈的努力及与生俱来的绘画天赋，使得学校破格录取了在及格线边缘徘徊的她。

阿咪、小乖，有想我吗？我好想你们啊！

性格活泼的阿南很喜爱小动物，在家时就常常收养和照顾一些流浪的小猫、小狗。来到大学后由于寝室里不能饲养宠物，阿南就参加了小动物保护中心，一有空就去照顾那里的小动物们。除了画画之外，这就是阿南觉得最快乐的时候。

次主角

次主角在故事中占有仅次于主角的重要地位，也是支撑着整个漫画故事、主导着情节发展的人物。设计次主角时注意要让其与主角形成对比，体现出不同的魅力，这样才能使漫画角色显得更为丰富，更具吸引力。

因为要和主角形成对比，所以我们将故事的次主角小雅设计成与阿南截然相反的类型。小雅的成绩优异，以第一名的成绩考进大学。由于性格非常严谨，所以她对同寝室成绩马虎、有些大大咧咧的阿南很是反感。喜爱绘画是她与阿南唯一的共同点，但这并不能消除小雅对于阿南的敌意。

次主角的设定可以不用像主角那样详细，但是人物表情也要符合角色性格的设定。并且，绘制时要表现出人物不同面的形态，对角色造型要有一个较为全面的展示。

配角 配角在故事中起到辅助推动情节发展、丰富故事的作用，通常是作为主角与次主角的家人、伙伴存在的。配角的地位次要于次主角，如果用领奖台来比喻的话，配角所处的位置相当于第三名的"季军"。

配角一，阿南青梅竹马的好朋友阿和，小阿南一岁，性格开朗、阳光，非常喜爱运动，出现的时候总是抱着篮球、扣着鸭舌帽的样子。在阿南遇到不开心的事的时候，总是能讲出好玩的笑话使阿南由阴转晴。

配角二，阿南在学校的学姐，是学生会下话剧社的社长，是很有正义感和大姐大气势的人。虽然说话的时候很直接也经常说狠话，却像姐姐一样鼓励着阿南。

设计配角时注意要配合故事来表现角色个性。由于配角在故事中出场并不是非常多，所以设定不需要很详细，只展现出角色的整体造型即可。

群众演员

群众角色又被叫做"移动的背景"。他们是为主角服务的，作为背景的一部分出现，虽然没有注明也没有台词，但群众的集体作用是具有强烈存在感的。用领奖台来比拟的话，是作为比赛的参与者存在着。

群众演员

群众演员没有年龄、性别、国籍等的限制，就相当于是出现在路上的行人，在战场上的士兵这样的角色。如果遇上有话白的出镜群众可以刻画得仔细一些。

群众角色的表现方法

图A

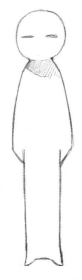

图B

图C

群众演员有很多种表现方式，在同一个场景中不用绘制出所有的群众外形，可以运用右图的三种方式来表现。

省略人物的肢体描绘，只是表现出身形，绘制出人物的表情。

凑热闹的人的模糊表现方法。

人物众多时用人形表示即可。

突出主角的构图方式，此时的群众角色就绘制出大致的外形，表现出人物在画面中的量。

主角融入画面的构图方式，这时需要细致刻画群众的外形，靠近镜头的群众角色的服饰褶皱都很清晰。

群众演员的实际运用

群众演员可以在主角或配角的背后充当任何角色。在某些情况下群众演员推动了剧情的发展。

一个成绩马马虎虎.生会的干事!

反对者的支持者　不明真相的群众代表

表示.怀疑的群众代表　跟着起哄的群众代表

一个成绩马马虎虎的人，怎么能做学生会的干事!

坚决反对!　就是!

......　?

7
Chapter
非人类角色也能成为漫画的主角

8
Chapter
有魅力的角色才能攫得读者的心

9
Chapter
创作出属于自己的漫画角色

10
Chapter
故事漫画是检验角色魅力的战场

Lesson 02 演绎故事需要角色之间的配合

在表现故事情节的时候需要设置出角色之间的差异，比如身份、体格、性格等，在两个或者多个人物之间创造出落差，这样才能更好的表现出角色的个人魅力。

身份的配合

角色设定需要身份的配合，就像手指的长短不同一样有高有低，能够让读者一眼明了人物关系。比较常用到身份关系的地方有家庭、职场和宫廷等。

身份可以通过服饰的设置表现出来，地位较高的人在服装上比较华丽或者考究，饰品以精致或者数量来表现。

主人的动作通常是自信的叉腰，表现身姿挺拔。
仆人的动作则是谦卑的卑躬屈膝，双手交叠在身前。

在故事的人物设定时，除开外貌的区别，在体格上也是有区别的。不同的身材配合能够具体的体现出角色的特点，比如体育社团的人物会是比较健壮的体格、模特队的人物就比较高挑，这样的设定能够让角色更恰如其分。

　　比较嘴馋的女生角色，身体可以设定的丰满一些，同时，也能表现出和蔼可亲的样子。

　　模特一般的高瘦体形，在漫画中是做主角的最佳人选。

　　女性运动员般健壮的身材，在漫画中也多是以运动为职业的角色。

性格的配合

性格的配合能够更立体的表现人物的外在表现，在人物组合中会有强势与弱势、积极与消极、外向与内敛之分。将角色之间的对比体现出来能够拉大人物的区别，让角色容易被记住。

遇到事情只会哭泣，不会想办法解决的人最没用了。

哇！怎么办啊。

坚强的性格与软弱性格的对比，拉大角色间的差异，让受角色吸引的人也两极分化开来，从两方面与不同的读者产生共鸣。

行为模式的配合

行为模式是根据性格来驱使的，行为模式相同就会像看到复制人一样。在角色的设定上要区分人物在动态上的差异，有行为大胆乖张的、有畏畏缩缩的，行为也能表现出角色间的关系。

哈哈！终于考完试了，我们一起去玩吧！

哦！好的。

考试结束后，大胆表现出内心的喜悦，能反映出角色积极的性格以及良好的心理状态。

用唯唯诺诺的姿态来配合热烈的人，能让角色各自的性格体现最大化。

Lesson 03 角色的性格很关键

性格在角色设定中占据最关键的部分，性格的确定带动行为与语言的发展，所有的信息都围绕着性格中心发展。接下来就来看几个角色的性格设置。

她是个浪漫的人

浪漫有很多种表现方式，生活、工作、以及精神上都会各有不同，将人物设定成浪漫的人，拥有一颗美好的心灵，对事物都有着发现美的心境，处理事情让人感觉到温馨和幸福，相反的也就比较常幻想一些不现实的事情。

角色设定

姓名：艾琳
年龄：21
职业：学生，兼职平面模特
爱好：写作、做手工
性格：温柔、开朗、喜欢幻想
艾琳从小就喜欢阅读文艺小说，非常憧憬书里各种浪漫的情节，常常幻想着这些故事能够发生在自己的生活之中。

平面模特的兼职是浪漫的职业表现，喜欢在镜头前自我表现。

做手工表现出她极富想象力和动手能力，是具有童真的浪漫。

在闲暇时她喜欢到海边散心，站在礁石上、吹着海风带来的自由飞翔的感觉，总能让她感到特别开心，也能给她带来大量的写作灵感。

象征着爱情的玫瑰花是她最爱的礼物，收到鲜花时的浪漫感总是能让她感到非常的满足。

喜欢随身带着笔记本，遇到有感触的场景就把自己的各种幻想写下来，作为素材来使用。

他是个胆小的人

胆小的人物设定需要划分出性格的体现方面，比如是在行为举止方面唯唯诺诺，或是不愿表达自己真实的想法，或是胆小怕事的类型。这里例举的是由于家庭教育的原因，封闭了交流与表达的能力，让人感觉内向胆小，但在遇到事情的时候，内心的勇气就体现出来了。

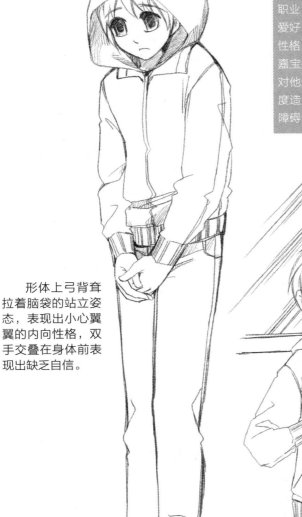

角色设定
姓名：陈嘉宝
年龄：16
职业：高中生
爱好：看书、打篮球
性格：内向、胆小，甚至显得有些懦弱
嘉宝是家里的独子，由于父母很晚才生下这个孩子，所以对他爱护有加，管教得也很严。但正是因为父母的保护过度造成了他内向、胆小的性格，甚至造成了与他人沟通的障碍。

形体上弓背耷拉着脑袋的站立姿态，表现出小心翼翼的内向性格，双手交叠在身体前表现出缺乏自信。

在体育活动的时候，虽然很想要融入到集体中去，却不知道怎么跨出第一步。

233

给妈妈当做饭的助手，却没办法对着料理台上的鱼下手，心里面很害怕血腥。

很怯于和人交流，有同学主动与他说话时，他总是一副很小心紧张的样子。

有心事的时候，常去操场的沙坑玩耍，形单影只的样子让同学们觉得想过去主动搭讪，又担心会打扰他。

她是个疑心病很重的人

疑心病就是指以主观的想法来判断遇到的人与事，基于一种对自我和他人的不安全感。设置有疑心病的角色，需要利用群众关系来体现，也就是说要利用互动关系来体现角色的瞬间表现。

角色设定

姓名：林妍洁

年龄：28

职业：办公室主任

爱好：工作

性格：谨慎、多疑、好强

妍洁生活在单亲家庭，因为从小父母离异，造成了她好强、不信任他人的个性。任何一点点小事都容易使她的疑心病发作，这给她身边的人带来了不小的困扰。

整洁的服装打扮，能够体现出个人的干练气质，也从侧面表现出严于律己律人，容不下任何小的错误，作为疑心病的铺垫。

在五官的把控上，眉眼距离开能表现出精明，嘴角下垂的嘴形表现出对现状的不满，都能体现出疑心病的外在表现。

每当看见公司里其他职员有说有笑时，她就怀疑别人谈论的对象是自己。她自己也不喜欢这样，可是这个毛病总改不了。

你肯定对我说谎了。

没有，真的没有！

有事没事就会打电话给丈夫询问人在什么地方、正在做什么事，查勤查得很厉害，让丈夫倍感压力。

一点点蛛丝马迹都会使她怀疑别人说谎，无论他人怎样解释都不相信，让人十分头痛。

他是个控制欲很强的人

设定控制欲强的角色，表面上会给人强势和震撼的气魄，这些可以通过外貌和着装来体现，在言行举止上可加强这个特点的表现。

向后梳理的绅士发型表现出优雅气质，剑眉星目和不苟言笑的表现能带出严肃的感觉，给人第一印象是不易接近。

角色设定

姓名：萧予诚
年龄：32
职业：公司高级主管
爱好：了解财经资讯、看电影
性格：自信、强势、重视家人

萧予诚工作能力很强，这是他自信的来源，也是公司职员愿意服从他管理的原因之一。由于常常发号施令，所以显得他的控制欲很强。

他非常重视家人，虽然在工作时非常强势，但对家人很温柔。每个周末他都会抽出时间来陪陪家人，和妻子一起去看电影。

由于能力出众，领导力很强，所以下属都为他马首是瞻。每天分配完工作后，公司职员的积极性都显得很高。

工作就安排到这里，请大家多多努力。

是!

她是个追求完美的人

追求完美的人在心中自有一个标准和目标，总是想要做得更好，设定这样的角色时需要通过剧情来表现完美主义，通过与其他角色的互动体现出思想与行动的差异。

角色设定

姓名：江心月

年龄：26

职业：演员、编剧

爱好：创作剧本

性格：认真、追求完美

江心月在工作中十分认真，对自己的要求很高，力求做到最好，也是这种力求完美的努力让大家又敬佩又烦恼。

在外貌的设定上反而不用太精致漂亮，这样才能表现出人物可以通过化妆造型来达到更好的效果。

感觉这里的粉不太匀净啊!

江心月对自己的着装要求常常很高，经常检查妆是不是花掉了，或者拍摄的上镜效果怎样。不过，也因此让剧组的同事们觉得她磨磨蹭蹭的。

该你上场了，请快一点好吗?

我觉得这场戏拍得不太自然，再重拍一次吧。

已经重拍了21遍了!

在创作剧本时，常常会翻阅很多资料学习，来让剧本达到最佳的效果。

Lesson 04 多种角色的关系组合

一部完整的漫画中会涉及到很多种角色关系的组合，人与人之间的联系成为网状结构，这样的关系利于情节的发展和人物在不同关系中的性格表现。接下来就举例梅路一家和他们的各种关系网。

家庭关系

漫画尤其是生活漫画的创作总是会涉及到角色之间的关系这个问题。关系是指人和人或人和事物之间某种性质的联系，其中最基本的就是家庭关系。以家庭关系为重点表现对象，从家庭成员之间的关系扩大到家庭成员与社会中其他角色的关系，从而形成了一个庞大的、错综复杂的关系网。要理清这些关系并不难，我们先从家人之间的关系开始梳理吧！

梅路的一家

长女　　次女　　爷爷　　母亲　　父亲

为了表现出家庭成员之间的差异，首先从外形上就要让他们有所差别，例如长相、发型、穿着、身高等。

241

爷爷每天都出去和老朋友一同打发时间，一直到晚上才回家。他不愿意守着空荡荡的屋子发呆。他常说这辈子最后悔的事就是不该管孩子的婚事，害的儿子半生苦闷，儿媳更是受尽了委屈。

角色设定

人物：爷爷
姓名：梅大（大家都叫他梅老爷子）
年龄：72
身高：169cm
血型：AB型
职业：退休在家
家庭成员：儿子、儿媳和两个孙女
爱好：泡功夫茶、画国画
性格：稳重大方
爷爷在年轻时是个小有名气的石刻工匠，年纪大了，刻不动石头就改拿毛笔学习画国画。在老年会所中很有威望。

每当受到夸奖的时候都会不好意思的抚着嘴角傻笑。

十分怀念去世多年的老伴，每天都会对着老伴的遗像说说话。将开心的事和不开心的事都拿出来和老伴一同分享。

242

角色设定

人物：母亲
姓名：李云
年龄：47
身高：165cm
血型：A型
职业：居委会协调员
爱好：剪窗花
性格：热情好客、平易近人
白天在居委会工作，晚上操持家务，洗衣做饭。虽然辛苦却从不喊累。每天都是笑眯眯的。

妻子 ←——————————————————→ 丈夫

☆关系：和和气气、相敬如宾。

　　因为是包办婚姻，没有感情基础。夫妻间很少沟通，即使说话也都是说一些家务琐事和女儿的教育问题，妻子对这种状态很是无奈，在这种充满了冷暴力的家庭中她时常想以离婚来解脱自己，却因为女儿而放弃念头。丈夫在年轻时有过一段美好的初恋，却因为家长的干预而分开。这一切使得他对婚姻和家庭生活完全失去信心，从而一直龟缩在自己的保护膜中，伤害了家人也不自知。

角色设定

人物：父亲
姓名：梅勇卿
年龄：49
身高：174cm
血型：B型
职业：语文教师
爱好：看书
性格：沉默寡言
每天按时上下班，比时钟还要准时的他除了看书其他的什么事情都不关心。连和他关系最好的长女也评价父亲说他应该做一个出家的和尚。

角色设定

人物：长女
姓名：梅洛
年龄：24
身高：172cm
血型：AB型
职业：模特
爱好：逛街
性格：独立、有大女子主义

做模特的她常年在外奔波，很少有回家的时候。事业心极重的她梦想有一天能自己开一家服装设计工作室。

姐姐 ←————————→ **妹妹**

☆关系：表面吵吵闹闹，却时刻相互关心。

　　姐姐聪明机灵，所以很小就离开家自己打拼。她很看重自己的妹妹，希望妹妹能够早点独立，所以对妹妹很严格，每次见面都要数落妹妹一番。妹妹表面上看起来十分天真，在家人面前一味撒娇耍赖，在姐姐和妈妈面前尤为如此。其实他心里很清楚家里面的问题，只是不愿意面对罢了。

角色设定

人物：次女
姓名：梅路
年龄：16
身高：156cm
血型：A型
职业：在校学生
爱好：画漫画
性格：活泼、开朗

每天都笑眯眯的初中生。最大的乐趣居然是一个人躲在卧室里写日记。她喜欢将家里的每一件事情、每一点变化都细细的记录在日记本里。

家庭构成及其关系图

两个女儿中，妈妈比较疼爱次女梅路。因为梅路很可爱，总是围着母亲转。妈妈总是抱怨长女太过独立，一点也不贴心。

公媳

父子

在儿子和儿媳之间，梅老爷子更喜欢儿媳一些。

夫妻　母女
父女

母女

梅路因为学习成绩并不突出，在做老师的父亲面前总是畏首畏尾，父亲也不大理会梅路。

梅父和长女在一起时总是有话题可聊，因为两个人都喜欢文学。

姐妹

姐妹俩在一起总是会吵架。梅路仗着母亲的疼爱在家里自由自在。而常年在外工作的姐姐一回到家就会夺取全家人的注意。这让梅路相当不爽。

父女

☆关系：公媳亲如父女，父子关系冷淡。

爷爷和妈妈的关系很亲近。爷爷有因为觉得媳妇委屈而对媳妇比较宽容，久而久之便亲近的如同一对亲父女一般。而真正的亲儿子却因为和父亲有所隔阂而总是保持着距离。

哇！好可爱的熊。

喜欢就拿去吧。

总是对妹妹严厉有加的姐姐其实很关心和爱护妹妹，只要是妹妹喜欢的东西从来不吝给予，虽然面孔冷冷的。

妈妈是全世界最伟大的母亲。

你这孩子真是的，这么大了还撒娇。

俗话说女儿是妈妈的小棉袄，梅路和妈妈的关系就和所有幸福家庭中的母女一样亲密。梅路很懂得妈妈的苦楚，所以一直都力所能及的带给妈妈快乐。

恋爱关系

恋爱关系是少女漫画中最常见的两人关系。一般需要交代从相遇到交往的情节发展，当中还可以穿插小吵小闹、浪漫的插曲等来丰富关系的表现。

恋爱是漫画中最常见的题材，也是最难画成经典的题材。在题材泛滥的今天，需要更多的其他故事元素加入进来才能成就一本好的漫画。

角色设定	
人物：	长女的男友
姓名：	张磊
年龄：	25
身高：	179cm
血型：	O型
职业：	经纪人
爱好：	登山、旅游
性格：	随和

第一天到新公司上班就在写字楼的大厅看到一个男生趴在地上找什么东西，由于好奇心驱使，梅洛知道这个男生是在找隐形眼镜，于是帮助他一起找，好不容易才找到。

上班后的某一天，公司的模特和经纪人一起开会，上次被帮忙的男生原来和梅洛一家公司，还主动和梅洛打招呼，让梅洛有些惊讶和喜悦，各自第一次正式介绍了自己。

再次会面后，张磊和梅洛就经常在一起讨论公司的广告活动安排等事宜，两个人的接触也变多了，有时候会聊聊各自的喜好什么的，也越来越熟络。

梅洛时常会因为广告活动加班工作到很晚，累到不行的时候就趴在工作室的沙发上休息，张磊发现后就会背着她回到员工宿舍。

在两人的相处中，张磊终于鼓起勇气向梅洛告白，说出自己对她的爱意。

梅洛接受了张磊的表白，两个人开始了正式的交往，甜蜜恩爱的样子成为大家羡慕的对象。

朋友关系

朋友关系往往是从相同的兴趣爱好或者不打不相识这样的偶然事件发展而来的。朋友关系是一种积极良好的人际关系，展现人物关系和睦的一面。

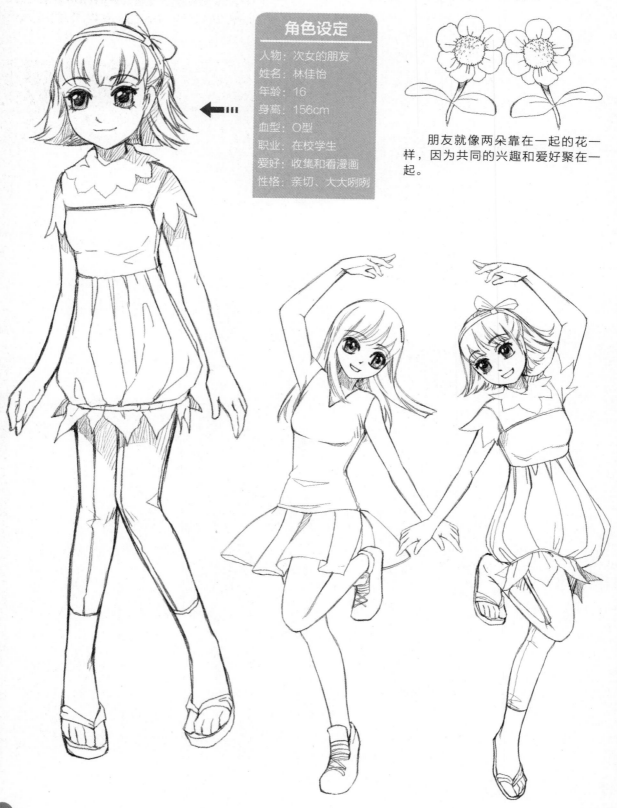

角色设定

人物：次女的朋友
姓名：林佳怡
年龄：16
身高：156cm
血型：O型
职业：在校学生
爱好：收集和看漫画
性格：亲切、大大咧咧

朋友就像两朵靠在一起的花一样，因为共同的兴趣和爱好聚在一起。

早!

恩,早!

梅路和林佳怡是同年级不同班级的校友,由于经常在上学途中遇到,所以都会相互打招呼问好。

恩?

啊,这个画集我找很久了,你看完了能不能借给我看看。

有一天下课在走廊,梅路正在看新买的画集,林佳怡路过时看到是自己找了很久的画集,想问梅路借,因为两个人有着相同的爱好,于是就慢慢的变成了朋友。

同事关系 同事关系出现在成年人当中较多，关系也较前几种复杂，有同辈关系与上下级关系之分。

7
Chapter
非人类角色也能成为漫画的主角

8
Chapter
有魅力的角色才能俘获读者的心

9
Chapter
创作出属于自己的漫画角色

10
Chapter
故事漫画是鉴定角色魅力的战场

角色设定

人物：父亲的同事
姓名：王志
年龄：27
身高：176cm
血型：B型
职业：教师
爱好：写作、阅读
性格：温和、谦虚、热情

同事关系比起朋友关系就要复杂得多，他们一般有着共同的目标，既是战友又是竞争对手。

您好，我是新来的代课老师王志，请多关照。

哦！

新来的代课老师很热情的向梅路的爸爸打招呼，他的回应却很冷淡。

前辈，请您帮我看看新的稿子吧！

真是的。

自己的工作很忙却被新人追着要自己看他写的根本就不值得一看的稿子，虽然觉得王志很努力勤奋，但也觉得很苦恼和心烦。

根本就看不出在讲什么。

……是

被追到无奈后，说出了自己对王志写作水平的真实看法。虽然很一针见血的提出了缺点，却也让王志感觉有点尴尬。

前辈，我彻底改了一遍，您再帮我看看吧！

王志在受到批评后却更加热衷于叫他评论了，梅路的父亲也在这件事中发现了王志身上百折不挠的优点。王志与梅卿勇成为了很好的前后辈同事关系。

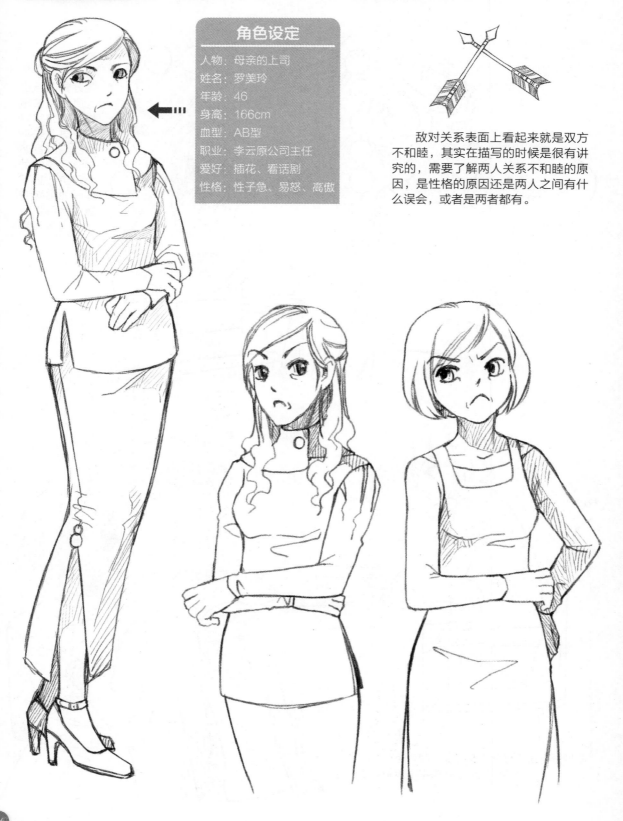

敌对关系

敌对关系是一种消极的人际关系，是故事当中的不和睦成分，与对手关系不同的是容易有主观偏见、私人恩怨或者仇恨等情愫在其中。

角色设定

人物：母亲的上司
姓名：罗美玲
年龄：46
身高：166cm
血型：AB型
职业：李云原公司主任
爱好：插花、看话剧
性格：性子急、易怒、高傲

敌对关系表面上看起来就是双方不和睦，其实在描写的时候是很有讲究的，需要了解两人关系不和睦的原因，是性格的原因还是两人之间有什么误会，或者是两者都有。

我是主任，我说什么你都必须听着。

走后门进来的，有什么真才实学啊！

别吵了。

李云总是和新来的上级领导不和睦，吵架几乎是每天的必修功课。李云因为罗美玲是靠关系进入的而对其不屑，罗美玲觉得自己的权威被无视，两人经常由此争执起来。

李云无意间发现她和自己的老公说话，以为罗美玲就是老公的初恋，心里面很委屈，对其更添敌意。

有话好好说，别打架啊！

最后，由于自己的胡思乱想，越看上级越觉得是自己的情敌，终于有一天情绪失控和上级打了起来。

冷静下来的时候，发现完全是个误会，却因此和上级结下了梁子，变成了真正的敌对关系。后来，便辞去了工作回到家里做全职太太，只在居委会当当协调员。

我们一辈子都是敌人！

我是绝对不会原谅你的。

这下梁子结大了。

这还不是得怪你自己啊！

第10章

本章通过讲解短片故事漫画的流程，来向大家一一展示在创作过程中的构思技巧、绘制方法以及创作中会遇到的难点，还会讲到关于分镜头的绘制基础知识。

故事漫画是鉴定
角色魅力的战场

Lesson 01 认识故事漫画

认识故事漫画需要从绘制的基础开始，漫画工具的选择是绘制的重点，而构思剧情和故事结构是漫画的灵魂，只有一个好的故事情节加上让人喜欢的画面才能让漫画更出彩。

了解漫画知识

想要学习画漫画的人都会经历从完全不了解到了解，再到熟悉，最后精通的过程，在此就将这个过程用最简单的方式展现给大家。

绘制漫画的工具

绘制漫画时会用到很多工具，了解和熟练运用这些工具对我们的绘制会起到事半功倍的作用。现在就来认识一下在绘制漫画时常用的一些工具。

铅笔
一般可以选择蓝色的彩色铅笔来打底稿。选择自动铅笔打草稿，一般用0.5mm的粗细。

针管笔
针管笔用于画粗细均匀的线条，有不同规格粗细，可以根据个人需要选用。

麦克笔
麦克笔有不同形状的笔尖，有油性和水溶性之分，主要用于上色。

橡皮
绘图橡皮要软一点的，这样才不易损伤纸张。

蘸水笔
蘸水笔用于勾墨稿，它们有不同的笔尖，使用前用火烤掉笔尖的氧化层，以免沾不上墨水！

割网刀

压网刀
压网刀主要用于挤压出网点纸和原稿纸中间的气泡，使它们更牢固的贴合。

鸭嘴笔
鸭嘴笔可以画出粗细均匀的线条，一般用来画直线，线的粗细可通过调节旋钮来控制。

直尺&三角板

云形尺
云形尺用于画曲线，画曲线速度线和集中线时常常用到。

网点纸

涂黑毛笔&修白毛笔
涂黑毛笔用于大面积上墨。修白毛笔用于最后修改或制作特定效果。

拷贝台

拷贝台用于从草稿复制到线稿，有木质和合金两种。

原稿纸

原稿纸分为有框和无框两种。也有不同大小。

故事漫画的表述方式

故事漫画重在说事，是以图片的形式讲故事的一种表现方式，由于这种表现方式非常直观易懂，所以很受欢迎。故事漫画属于全年龄漫画，各个年龄层次的人都能找到适合自己阅读的漫画书。

故事漫画又称为剧情漫画，是现在市面上的主流漫画。就如同电影、电视剧利用演员的演绎和镜头的切换、组合来向观众讲述一个或多个故事一样，故事是利用纸上的角色来演绎，通过画框的形状、大小和组合来向读者讲述一个或多个故事。以图画来讲故事是故事漫画的一个特点。在画漫画之前必须要有一个故事剧本。剧本的形式可以是多种多样的。有些是小说的形式、有些是比小说原著更接近漫画方式的剧本形式、有些是带有分格的解说式。

● 小说式表述方式

小说是文学体裁四分法中的一大样式。它是通过塑造人物、叙述故事、描写环境来反映生活、表达思想的一种文学体裁。采用小说形式写故事可以将故事的细节原委表达的非常仔细，小说会采用很多描写性的语言来表现人物的内心活动，是其他方式所不能比拟的。

为漫画而写的小说以叙述事件为主。

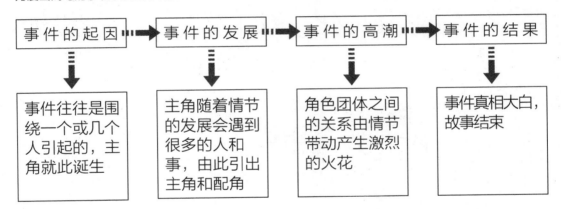

● 剧本式表述方式

剧本是一种文学形式，是戏剧艺术创作的文本基础，与剧本类似的词汇还包括脚本、剧作等。它以代言体方式为主，是表现故事情节的文学样式。剧本主要由人物对话和提示组成。提示一般指出人物说话的语气、说话时的动作，或说明人物上下场、指出场景或其他效果变换等。

● 解说式表述方式

解说是一种解释说明事物、事理的表述法。它往往用言简意明的文字，把事物的形状、性质、特征、成因、关系、功能等解释得很清晰。解说式表述漫画时还会附上漫画的分格，并对每一格的内容进行解说。

```
┌─────────────────────┐    ┌──────────────────┐    ┌──────────────────┐
│ 将要写的故事按条理   │ ⇒ │ 在纸上画出分镜分格 │ ⇒ │ 对每一格的内容进行 │
│ 分成带序号的段落     │    │                  │    │ 解释说明          │
└─────────────────────┘    └──────────────────┘    └──────────────────┘
```

例如：描写一个现代普通中学生早上起床的情景。

● 小说式

早晨七点，母亲准时来到了小文的房间，用极不文雅的方式掀起了小文的被子，为此小文感到极度不满，道："妈妈，大冷天的，我会感冒的，你就不能像隔壁张铭的妈妈那样，温柔的叫我起床吗？"妈妈一边扯着小文的被子一边粗声回道："你要是能像张铭那样门门成绩考一百分，我就温柔的叫你起床。你能吗？能吗？"两句问话将小文堵得哑口无言，只好快速钻进卫生间洗漱去了。一边刷牙一边听妈妈在楼下催促，内心窜起一股无名之火，暗暗下定决心这次中考无论如何都要考个95分不可，就算暂时不能超越张铭也要先超越自己。

● 剧本式

第一场：早晨七点

妈妈：（拉被子）"快点起床，再不起来就要迟到了。"

小文：（在床上缩成一团）"妈妈，大冷天的，我会感冒的，你就不能像隔壁张铭的妈妈那样，温柔的叫我起床吗？"

妈妈：（叉腰）"你要是能像张铭那样门门成绩考一百分，我就温柔的叫你起床。你能吗？能吗？"

转景：小文走进卫生间。

小文：（刷牙）心想"张铭有什么了不起，这次中考非考个95分不可，就算暂时不能超越张铭也要先超越自己，等着瞧吧！"

● 解说式

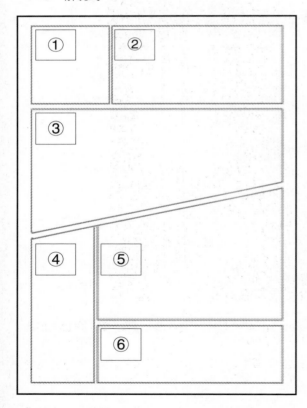

第一格	妈妈拉小文的被子："快点起床，再不起来就要迟到了。"
第二格	小文被寒冷的空气激醒。
第三格	小文坐起来不满的对妈妈说："妈妈，大冷天的，我会感冒的，你就不能像隔壁张铭的妈妈那样，温柔的叫我起床吗？"妈妈叉腰站在床边说："你要是能像张铭那样门门成绩考 100分，我就温柔的叫你起床。你能吗？能吗？"
第四格	小文被堵的没话说（这格表现小文嘟嘴的表情）
第五格	小文转身走进卫生间，一边走一边说："张铭有什么了不起。"
第六格	小文的心声：这次中考非考个95分不可，就算暂时不能超越张铭也要先超越自己，等着瞧吧。

Lesson 02 故事是关键

要画漫画先要有故事，可以说故事就是漫画的灵魂。和读者需要通过画面来了解故事不同，作者需要先将故事写出来，然后再根据故事来画画。

构思很重要

古人云："'形在江海之上，心存魏阙之下。'神思之谓也。"这里的"神思"，就是构思。构思在不同的领域有不同的叫法，意念、灵感、创意、主意、点子等，其实都是构思。构思可不是坐在家中就能够凭空想出来的。就算能想也是粗制滥造、经不起推敲。

构思前的准备工作

当开始着手要绘制一部漫画之前，我们总是毫无头绪的。到底写个什么故事好些呢？在什么都还不知道的前提下，我们至少要先知道有什么类型的漫画可以供我们选择。

按照读者年龄可以分为：儿童漫画、少年漫画、少女漫画、青年漫画、成人漫画等。

按内容可分为：科幻类、神话类、竞技类、格斗类、冒险类、爱情类、侦探类、幽默类、惊悚类、励志类等。

按用途可分为：讽刺漫画、幽默漫画、实用漫画、实验漫画、教育漫画、宣传漫画、治愈漫画等。

分类很多，在了解了这些具体的分类后就可以从中选择最适合自己的分类了。例如，选择年龄阶段是少女漫画，内容属于励志类的题材来构思漫画故事。

上图是日本漫画吸血鬼骑士的角色。该书非常成功的塑造出了十分受少女喜爱的吸血鬼角色。角色的成功不仅仅是造型上的帅气和完美，还通过故事的演绎表现出角色更加吸引人的内在魅力。

"少女漫画"传统是指以12～18岁的少女为主要读者对象的漫画，少女漫画没有明确的界限，不以故事类型、绘画风格或是情节而分。大多都是纯真而美好的故事内容，在画风上也比较偏向于完美化，故事主人翁多是俊男美女。而多数渲染的都是浪漫理想的爱情故事。

在确定了自己要的年龄段和大体类型后，可以做出一个表格来加深自己的印象，利用这个方法就不会在后面的工作中产生太大的偏差。

故事定位	少女励志漫画
篇幅	短篇
读者定位	10～18岁
资料收集	打算做架空历史的，在收集资料方面，收集一些偏向欧洲古代历史的资料，大体的年代定位参考欧洲中世纪。

构思要讲求方法

● 随时记录

很多漫画家都随身携带一个小笔记本和笔，这是因为要将自己身边听到的或是看到的有趣好玩的东西记录下来。随着现代高科技的普及，我们可以用于记录的东西也越来越多，实在不喜欢用笔记本记录的人还可以选择用照相机、摄像机、录音笔等便携的工具记录。

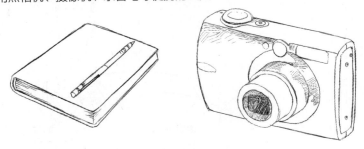

养成记录的好习惯，可以获得更多的构思源泉。构思有时会在脑中一闪而逝，有时又是在收集了很多素材后慢慢推敲出来的。

● 习惯撰写构思提纲

在构思的时候经常会遇到思路不清晰的问题，总是将构思储存在脑中回想，一旦时间太久或是遇到思维不清晰的时候就会出现后面的构思还未完成，前面的部分构思就已经忘记或是前后构思相矛盾的问题。

为了方便记忆和修改，可以为构思列一个大纲。

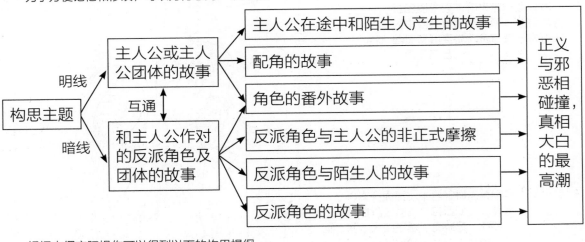

根据大纲实际操作可以得到以下的构思提纲。

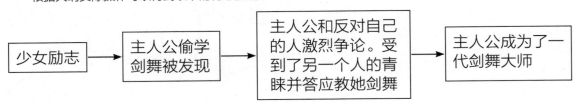

不管是很复杂的故事还是很简单的故事，都可以利用提纲构思法清晰明确的记录下自己想要写的东西，再根据提纲修改，从而得到自己最满意的故事。

故事的四大要素

孩提时候听父母讲故事，故事有起因、发展、高潮和结局。漫画的故事也是一样，但它所包含的要素更多。能够熟练自如的掌握讲故事的方法是每个漫画作者的心愿。

故事的四大要素是什么

每一个故事都有起因、经过、高潮、结果。少了其中哪一项，故事都不算完整。这是写故事多年的前辈们用他们的实践总结出来的。

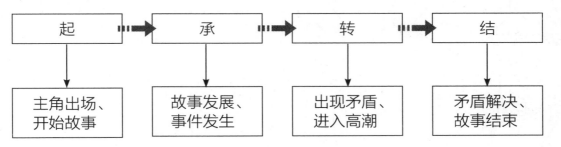

```
起  ➡  承  ➡  转  ➡  结
↓       ↓       ↓       ↓
主角出场、  故事发展、  出现矛盾、  矛盾解决、
开始故事    事件发生    进入高潮    故事结束
```

将起承转结和故事情节相结合可以用下面的图表示。

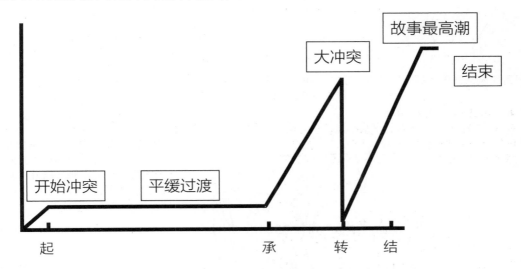

在上图中可以清楚地看到故事每个阶段的起伏，故事利用剧情的矛盾来挑起读者的情绪，如同电影一样，为了增加情节的可看性，作者会在承的阶段安排一些不同的小高潮。并且，每一次的高潮还会比前一次的更有力道。这样的作品会更吸引人、扣人心弦。最终的效果要看整部作品来确定，因为作品最后的转折点才是真正的高潮所在。

短篇漫画的起承转结

漫画会因为篇幅的多少分为超长篇漫画、长篇漫画、中篇漫画和短篇漫画。短篇漫画是漫画新人最开始要接触的，新人投稿阶段也都被要求绘制短篇漫画。要在短篇漫画里达成起承转结的效果是相当困难的，一旦压缩剧情处理的不妥当就会让读者感到阅读吃力没有兴趣再读下去。

所以可以把最初的"起"和"承"合并在一起，让主角、配角和故事情节展开一起进行，就能够很快的进入高潮。

```
起  ➡  转  ➡  结
```

《樱兰高校男公关部》

　　故事以超有钱的少爷小姐就读的名流高中 "私立樱兰学院高中部" 的社团 "男公关部" 作为舞台。主人公平民资助生藤冈春绯因想找一个能安静读书的地方而误入 "男公关部"。对 "男公关部" 丝毫没有兴趣的春绯因突发的误摔碎花瓶事件而负债被迫入部，被要求华丽变身女扮男装在部里接客。作品中不仅有春绯被毫无常识的部员和作为客人的千金大小姐们随意使唤而产生的喜剧效果，也插入了部员之间友情和平民学生春绯用行动渐渐改变这些名流部员过程中的温暖的故事。

《流星花园》

　　本故事主要讲述一个出身贫寒而性格坚韧的女生牧野杉菜被爱钱的父母强迫就读一间贵族学校，因故结识了四大家族继承人F4，并与F4之首、个性跋扈的富家子弟道明寺坠入情网的故事。

　　故事背景是在一所由政经界最具影响力的四大家族为培养优秀后代而创立的贵族学校：英德学园，四大家族的继承人道明寺、花泽类、西门总二郎、美作玲号称F4花之四人组，在学校有着各种特权。但没想到他们嚣张跋扈的行为在遇到出身贫寒的牧野杉菜后有了转变。

起承转结的实际运用

漫画通常是一开始就引出主角，就算是长篇漫画也是一样。根据经验，如果漫画开篇5页以后还没有出现主角的话就会使读者感到拖沓、厌烦了。所以怎样给漫画开个好头是每个漫画作者必须先要考虑的问题。

在一开篇就直接将主角呈现在读者面前，是漫画作者最常用的开篇方法。就算不是在第一格，也会在第一页中以特写的方式出现。

在大海的深处住着一位美丽的公主。

她的名字叫……

承可以说是叙述故事的经过，如果是长篇故事的话，承所占的比重就会变大，为了不会让故事因为承载过长而产生无趣感，作者在处理这部分时总是在里面添加小曲折，俗称小高潮，也称桥段。

我们出发吧！

好！

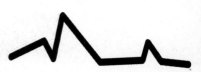

平顺的承之路。

在上面加点曲折就会有趣得多。

转是故事的最高潮，故事从开始到发展所产生出的一切疑问都将在这里聚集，作者会用夸张的手法去展现这些矛盾点，将故事推向高潮。

你们，居然是海魔女！

哈哈哈哈！

讨厌！怎么是面具啊，我还以为真的有魔女，正打算拿照相机照下来留念呢！

出乎意料的结局最能抓住读者的心，当读者看完整部漫画后的感觉是，原来是这样啊，我怎么没有想到呢？那就算是成功了。在结局处多下点功夫是很重要的哦！

Lesson 03 为故事量身定做角色

角色的设计与确定要符合故事的需要，这是每个漫画作者必须要做到的最基本要求。这需要经过作者反复的描绘，不断的评估后，才能最终确定笔下的人物是否适合。

主角

在已有剧本的前提下，要根据剧情的要求来设定角色形象，先从主角开始。在设定角色之前要注意角色之间的互补和差异，主角虽然是整个故事的中心，但并不一定就全能哦！让我们根据前面已学过的内容来设计一个有血有肉的主角吧！

幼年时期的吉安

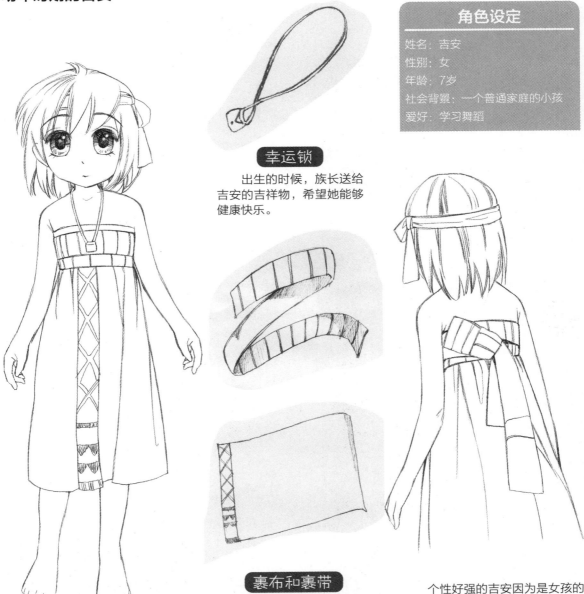

角色设定

姓名：吉安

性别：女

年龄：7岁

社会背景：一个普通家庭的小孩

爱好：学习舞蹈

幸运锁

出生的时候，族长送给吉安的吉祥物，希望她能够健康快乐。

裹布和裹带

将裹布围在身上，再用裹带缠绕系紧。

个性好强的吉安因为是女孩的原因，在家中并不受父母的喜爱，所以从小就很自立。

青年时期的吉安

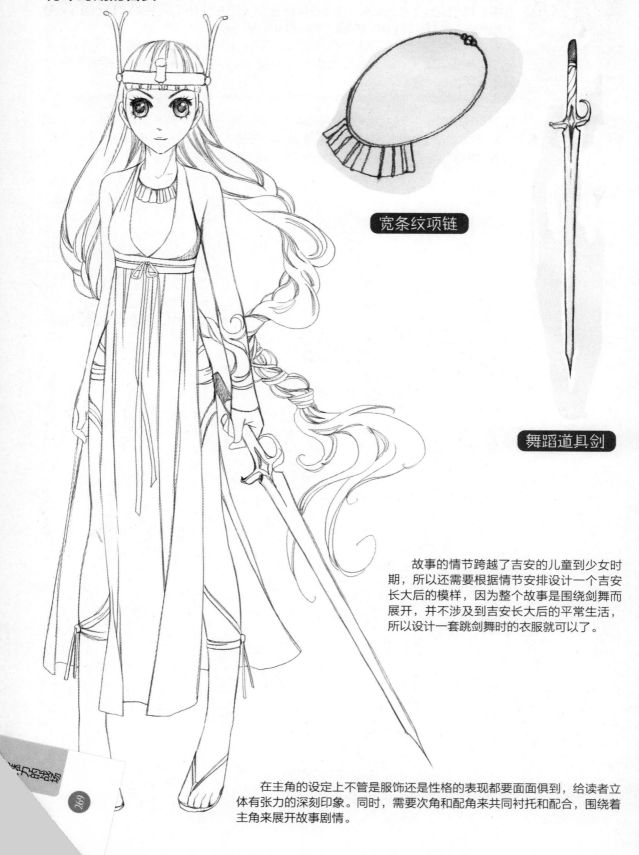

宽条纹项链

舞蹈道具剑

故事的情节跨越了吉安的儿童到少女时期，所以还需要根据情节安排设计一个吉安长大后的模样，因为整个故事是围绕剑舞而展开，并不涉及到吉安长大后的平常生活，所以设计一套跳剑舞时的衣服就可以了。

在主角的设定上不管是服饰还是性格的表现都要面面俱到，给读者立体有张力的深刻印象。同时，需要次角和配角来共同衬托和配合，围绕着主角来展开故事剧情。

次主角

有些短篇漫画或是超短篇漫画因为漫画篇幅的原因，可能不会在漫画中看到太多主角以外的其他角色的特点。但也要完整的为他们进行设定，这种对待每一位角色都认真负责的态度会让你在以后的漫画生涯中受益。

角色设定

姓名：因果
性别：男
年龄：24岁
职业：剑舞师
是一个很随和、温柔的年轻人，或许是因为社会大环境的缘故，他对待女性的态度虽不强硬却也有些随便，正是因为这样才使得吉安有了学习剑舞的机会。

次主角作为第二主角，在面部造型上需要设计出讨喜的形象，一般会设计成和蔼可亲的类型。

在服装的设计上，次角就比较简单明了，剑舞的服饰以展露身体线条为主，设计的服饰就是马甲衫上衣和裹身褶裙。

平时总是起陪衬作用的配角，在故事遇到瓶颈的时候往往会起到一定的调节作用。遇到困难时将注意力稍稍转向配角，说不定会让人眼前一亮哦！

角色设定

姓名：达特
性别：男
年龄：37岁
职业：铁匠
达特是一个有着大男子主义的人，他认为女性都应该呆在家里绣花。

配角的设定在整体形象上都比较大众，不会有太特别的地方来让读者们记忆深刻。在角色运用上主要是作为主角的引导和承上启下的作用。

群众演员

群众演员最重要的作用就在于活跃周围的气氛，作为陪衬更加突显角色。在角色周围多多添加群众演员，让整个世界活跃起来吧！

主要角色背后没有姓名没有台词的乐师。

挥手欢呼，热情的观众。

在帝国举行国庆时围绕在仪台周围的观众。

直接用黑点来表现人山人海的场面，和近景处的人物相互映衬，更加突显出现场的热闹气氛。光是点阵人海或者光是特写人物都不能达到这种效果。

Lesson 04 漫画分镜

漫画分镜也就是漫画分格，它是采用不同的镜头点切入画面，拍摄出不同角度、不同镜头效果的画面后再进行特殊的编排加工所得到的。

认识分镜

分镜一词源自于电影，在漫画上也可以将之称为分格，专被用在连环漫画上。它在漫画的制作上扮演着"诠释者"的角色，意在将漫画里事件的发生顺序、观察角度、事件与事件的关联、节奏和情绪、虚与实诠释出来，将之编辑成我们所见到的漫画。这就像写文章里的文法一样，将一些文字词句组合成能令人读得懂的具有含义的语句，它有时更能左右读者阅读文章的情绪及反应。相应的，漫画的分镜旨在制作一种阅读规则，并藉由这种规则诠释事件与对象。分镜观念清楚的作者能随心所欲地控制其作品给读者的感觉，即使无趣的故事也能以精彩的分镜技巧而被诠释得有趣。

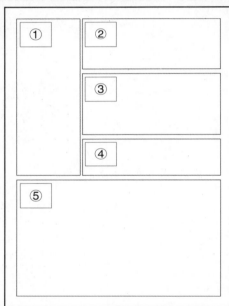

图A

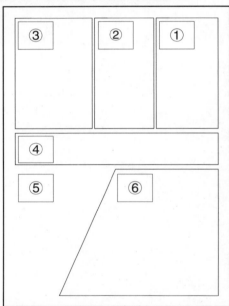

图B

图A是国内漫画页面的阅读顺序，由左至右、由上至下。世界上大部分国家的漫画都是这个顺序。

图B是日本漫画的阅读顺序。由右至左，由上至下。这个阅读顺序虽然使用的国家少，却由于日本漫画在世界范围的影响力而使得由右至左的阅读顺序为大众所熟知。

漫画的竖格间距是3~5mm。

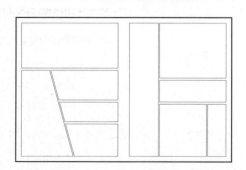

漫画都是以对页的形式展现在读者面前，分格的好坏会影响整个页面的构图。

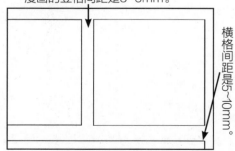

横格间距是5~10mm。

绘制分镜

初学者在拿到剧本后会有一种困惑，怎样才能很好的将满篇的文字变成漂亮的图画。其实，有一种方法可以很快上手。下面就来为大家介绍这个方法。

将拿到的剧本整理出来

在拿到剧本后先将剧本中的内容大体分成单个画面，每个画面都好好的思考镜头的切入点和角色的位置、动作以及表情等，分别绘制成单个的图片这个步骤是将文字图片化的第一步。不需要使用专业的稿纸，在一般的纸上用一般的笔就可以。

剧本：女孩慌张的道歉，正要解释自己为什么出现在这里的时候却被人摸了摸头，青年温柔的询问使女孩安心不少，并且大胆的说出了自己的目的，结果却被大叔嘲笑了。

1 女孩慌张的道歉，想要解释自己为什么出现在这里。

2 却被一只手温柔的摸了摸头。

3 手的主人原来是一个年轻的大哥哥，他很温柔的安慰并询问女孩。

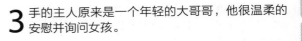

4 仿佛受到鼓励一般，女孩突然大胆的说出了自己的目的。

5 而这时却被一个大叔嘲笑了。

将单个图片组合编辑

　　根据剧本的顺序来排列图片，图片的大小和形状要根据情节的需要来设计。本页属于叙述页，着重突出了两个部分：第一格的女孩道歉和第五格的大叔高声嘲笑。第一格是女孩的全身特写，主要表现女孩被发现后的紧张感，在构图方面也用了不稳定的斜构图，表现女孩内心的不安。第二格到第四格是叙述格，利用分格的平缓并逐渐变大的效果来缓解人物的紧张感。第四格又突然产生了很大的变形，表现刚刚缓和的气氛又再度紧张起来。第五格采用对角镜头着重突出大叔的表情特写，与后面的女孩的表情产生极大的反差以达到戏剧效果，并更加突显出大叔嘲笑的力度。

将杂乱的线条整理出来并添加文字

　　第一格　女孩："对不起。"

　　第二格　大哥哥摸女孩的头。

　　第三格　大哥哥："没关系，小妹妹你到这里来做什么呢？"

　　第四格　女孩："我……我是来偷师的，我想学习剑舞。"

　　第五格　大叔："哈哈哈！女孩学剑舞不适合，应该回家陪妈妈绣花。"

　　经过一系列的分析后就能逐渐明白分镜的玄机以及分镜方法，以后每次分镜的时候都这样全方位的考虑，分镜的技术就会飞速成长了。

7
Chapter
非人类角色也能成为漫画的主角

8
Chapter
有魅力的角色才能赢得读者的心

9
Chapter
创作出属于自己的漫画角色

10
Chapter
故事漫画是检定角色魅力的战场

Lesson 05 魅力角色演绎的经典故事分析《剑舞》

剑舞是一个只有6页的超级短篇漫画。即便是短篇漫画，所要表达的故事的起、承、转、结也是一样也不能少的。由于页数有限，所以在安排故事进展的时候要尽可能的加快画面节奏，为故事的高潮留出空间。

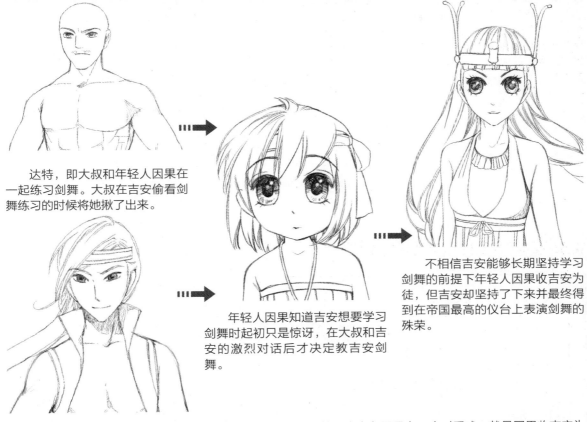

达特，即大叔和年轻人因果在一起练习剑舞。大叔在吉安偷看剑舞练习的时候将她揪了出来。

年轻人因果知道吉安想要学习剑舞时起初只是惊讶，在大叔和吉安的激烈对话后才决定教吉安剑舞。

不相信吉安能够长期坚持学习剑舞的前提下年轻人因果收吉安为徒，但吉安却坚持了下来并最终得到在帝国最高的仪台上表演剑舞的殊荣。

在整个故事中作为主角的吉安无疑是戏份最重的角色。她和次主角因果有一个对手戏，就是因果收吉安为徒的这一部分，这一部分是整个故事中最重要的一部分，是故事的转折。

开始绘制分镜前多画点主角的表情很重要

专注　　　　　　　高兴　　　　　　　生气

故事解析

　　故事开场，在一个遥远的国度，每年都会在国庆日的时候举行大型的剑舞比赛，这是一种力量与美相结合的舞蹈，帝国规定只有男子才能跳。一位叫吉安的女孩也很想学习剑舞，却因为自己是女孩而无法如愿，她只好每天都躲在暗处偷学，一天正看得起劲的时候被一位大叔发现了。

第一格 旁白：帝国每年一次的剑舞比赛前期，全国的男子都在加紧训练，以期能在帝国最高的仪台上表演。

第二格 正在练习的男子发现不远处有人在偷窥。

第三格 吉安："跳得真好，我什么时候也能跳那么好就好了。"

第四格 吉安感觉有些不对劲。

第五格 特写，吉安的眼睛向感觉不对劲的源头望去。

第六格 大叔："小姑娘，你在这里做什么呢？"

　　短篇幅漫画由于页面有限，会在一开始就将故事中的主要角色全都提点出来。如果在开篇第一页就拖沓的话，后面要讲的内容肯定没有办法在有限的空间里全部表现出来，在中途出现的角色就算在故事情节中再怎么重要也会让读者认为是个打酱油的而忽视掉。

　　在看第一格的时候，读者的眼睛是锁定在次主角因果身上的。

　　为了让读者了解故事中的世界，在第一页的第一格应当做一个解释说明，这在篇幅不多的短篇漫画中极为重要。

当角色出现后给她一个特写是必须的，这样才能加深读者对主角的印象，从而开始将目光锁定在主角的身上。

根据读者的阅读习惯，一旦将眼睛锁定在某个角色身上后，在下一格也会不自觉的寻找那个角色。所以角色在一个页面中最好不要突然消失又突然出现，这样会打乱读者阅读的连贯性从而破坏漫画的可看性。

我们利用读者的这一习惯让角色去发现另一个角色的存在，这样一来读者的眼睛就又会不自觉的被角色的视线向所吸引而开始关注另一个角色，从而引出主角。

从现在开始主角不管做什么、说什么、发现了些什么都会被读者所注意。

然后插入配角，制造矛盾，故事的开始就算是铺设完成了。

吉安偷看被抓了个现行，马上做出忏悔状，可还没来得及为自己解释就有一双手摸了摸自己的头，面对温柔的大哥哥的询问，吉安的自信心倍增，大胆的说出了自己想要学习剑舞的愿望，可是却被发现自己的大叔给嘲笑了。

第一格 女孩：对不起。

第二格 年轻人摸女孩的头。

第三格 年轻人："没关系，小妹妹你到这里来做什么呢？"

第四格 女孩："我……我是来偷师的，我想学习剑舞。"

第五格 大叔："哈哈哈！女孩学剑舞不适合，应该回家陪妈妈绣花。"

年轻人的手突然轻抚吉安的头，剧情开始出现新发展，是承上启下的一步。

由配角小看吉安的话来引出接下来的对话，能表现出吉安的决心，作为承上启下的铺垫。

面对大叔的嘲笑吉安并没有像其他女孩那样默不作声的听着，而是直接说出了自己的疑惑和不满，这让习惯了男性说话女性听从的人大为吃惊。

第一格 女 孩："为什么要绣花？"

第二格 女 孩："我可不喜欢绣什么花。"

第三格 大 叔："……"

第四格 女 孩："我只喜欢剑舞，"

第五格 女 孩："为什么女孩就不能学习剑舞？我和男孩一样都有手有脚，为什么男孩能学，我却不能？"

第六格 女 孩："就算偷学，我也要学剑舞！"

面部的不完全表现，表现出主角对当前情况的不满意。

用速度线来表示主角突然的动作，尖角对话框体现出语气的坚定。

吉安的一番话触动了他身后的年轻人，年轻人决定教女孩学习剑舞，面对女孩的疑虑做出了保证。

第一格　年轻人："……"

第二格　年轻人："如果你真的想学，我可以教你。"

第三格　吉安迅速回头看着年轻人。

第四格　吉安："真的吗？你真的愿意教我吗？"

年轻人："当然。"

第五格　年轻人："你不相信的话，我可以和你拉钩起誓。"

上下情景框联系紧密，次主角表示愿意教吉安学习剑舞，吉安的表现则是立刻回过头表现出激动。

突出表现次主角提出的约定，也由此牵引出后面吉安的情绪反应。

吉安和年轻的大哥哥拉钩相互交换了誓言。吉安非常高兴自己可以光明正大的学习剑舞，向大哥哥道别后兴奋地一蹦一跳的向回家的路跑去。大叔很疑惑的询问年轻人真的打算教女孩跳剑舞吗？年轻人觉得女孩子都是没有长性的教教也无妨。

第一格 年轻人："我发誓，用心教你学习剑舞直到你不愿意再学为止。"

吉安："我发誓好好学习剑舞绝不辜负大哥哥的栽培。"

第二格 吉安："大哥哥谢谢你！"

年轻人："恩，记得明天来学习。"

第三格 吉安开心地一蹦一跳的跑走了。

第四格 大叔："你不是在开玩笑吧？从没有女孩学习剑舞啊！"

第五格 年轻人："我觉得她没长性的，过一阵子就不会再来了，放心吧！"

大叔："希望如此。"

场景和对话作为一格，能够表现出事件的暂时结束，对话也能留下悬念，让读者期待看到吉安的表现。

通过拉钩的互动将两个画面联系在一起，上格画面为女主角眼中的画面。

哪知道被年轻人认为没有长性的吉安却一直坚持学习剑舞，并被帝国承认。在帝国国庆之日作为一名舞师，站到了帝国最高的仪台之上。

第一格 十年后。

第二格 吉安依然没有放弃她喜爱的剑舞。

第三格 群众演员：哇！哇！

第四格 十年后的国庆日，长大的吉安站在帝国最高的仪台上挥剑起舞，打破了剑舞只能由男子来跳的传统。

　　对长大后的吉安进行细致描写，体现出主角的改变。

　　远景的表现体现出隆重的气势，也表现出吉安的努力得到了肯定。

帝国每年一次的剑舞比赛前期，全国的男子都在加紧训练，以期能在帝国最高的仪台上表演。

跳得真好，我什么时候也能跳那么好就好了。

啊！怎么突然好暗啊！

小姑娘，你在这里做什么呢？

为什么要绣花?

我可不喜欢绣什么花。

我只喜欢剑舞!

为什么女孩就不能学习剑舞?

我和男孩一样都有手有脚,为什么男孩能学,我却不能?

就算偷学,我也要学剑舞!

如果你真的想学，
我可以教你。

……

真的吗？

你真的愿意教我？

当然。

你不相信的话

我可以和你拉钩起誓。

7
Chapter
非人类角色也能成为漫画的主角

8
Chapter
有魅力的角色才能赢得读者的心

9
Chapter
创作出属于自己的漫画角色

10
Chapter
故事漫画奠定角色魅力的战场

十年后

吉安依然没有放弃她喜爱的剑舞。

哇！哇！

哇！哇！

十年后的国庆日，长大的吉安站在帝国最高处的仪台上挥剑起舞，打破了剑舞只能由男子来跳的传统。